編集復刻版／編・解題＝河原　功

資料集　終戦直後の台湾

第2巻

不二出版

復刻にあたって

一、復刻にあたっては、斎藤毅氏にご理解とご協力をいただきました。記して深く感謝いたします。

一、原本を適宜縮小・拡大して収録しました。

一、原本の破損や汚れ、印刷不良により、判読できない箇所があります。

一、原本において、人権の視点からみて不適切な語句・表現・論がある場合でも、歴史的資料の復刻という性質上、そのまま収録しました。

一、解題（河原 功）は第1巻巻頭に収録しました。

（不二出版）

『資料集　終戦直後の台湾』第2巻目次

3　中華民国（台湾省行政長官公署）からの通告・通達・命令

降書　中華民国三十四年九月九日　中華民国南京にて接受 …… 1

台湾省行政長官公署警備総司令部前進指揮所通告［台湾の現状維持］
　進字一号　主任葛敬恩　中華民国三十四年十月六日 …… 5

中華民国台湾省行政長官公署備忘録ノ件（官文第五〇四三号）
　昭和二十年十月八日　終戦連絡事務局長官成田一郎　官房各課長・各局部長・東京出張所長殿 …… 11

中華民国台湾省行政長官公署備忘録　台政字第一号［施設・資本の接収］秘 写
　中華民国三十四年十月五日　中華民国台湾省行政長官陸軍上将陳儀　日本台湾総督安藤利吉将軍宛

中華民国台湾省行政長官公署備忘録　台政字第二号［台湾銀行券の提出］秘 写
　中華民国三十四年十月五日　中国台湾省行政長官陸軍上将陳儀　日本台湾総督安藤利吉将軍宛

台進字第二号［公私財産の売買、移動の厳禁］　中華民国三四年十月十三日　主任葛敬恩 …… 27

台進字第三号［財物強奪等の犯罪者への厳罰］（中華民国三四年十月十七日） …… 29

台進字第四号［納税義務の遵守］　中華民国三四年十月十九日　主任葛敬恩 …… 32

中国台湾省行政長官公署警備総司令部命令　署部字第一号［安藤利吉を陳儀の指揮下に］
　中国台湾省行政長官兼警備総司令陸軍上将陳儀
　日本台湾総督兼第十方面軍司令官安藤利吉将軍宛　中華民国三十四年十月二十五日 …… 33

台湾行政長官公署　署秘第一号［公印使用開始］　中華民国三十四年十月二十五日　台湾省行政長官陳儀 …… 36

台湾行政長官公署訓令　処接字第一号［接収にあたる日本側責任者指名の要請］
　行政長官公署長官陳儀　一〇月二八日　台湾地区日本官兵善後連絡部長宛 …… 37

行政長官公署通達［須田一二三を折衝事務責任者の代理副部長とする］　十月三十日 …… 40

4　成田一郎総務長官の帰台に関する件

総務長官一行帰台ニ関スル件綴　自昭和二十年九月二十日至（昭和二十年十二月八日）　斎藤茂 …… 41
総務長官在京中往復文書写綴　自昭和二十年九月二十日至（昭和二十年十二月十八日）　斎藤茂 …… 119
電報案［進退伺］　斎藤秘書官　総督宛　（一一月）二九日 …… 252
Flight of Four Japanese Officials to Formosa.（総務長官一行帰台ニ関スル件）
Central Liason Office, Tokyo　1945.10.5～12.31 …… 254
［要約（総務長官一行帰台ニ関スル件）］　九月二十日～十一月二十四日　斎藤茂 …… 262

5　非日本人の台湾への帰還・邦人の台湾引揚げ

Repatriation of Non-Japanese from Japan.　H. W. ALLEN.　1945.11.1 …… 273
非日本人ノ日本ヨリノ帰還ニ関スル件　聯合国総司令部発、日本帝國政府宛覚書（仮訳）
一九四五年十一月一日（十一月五日接受） …… 277
Formosans Shipped to Japan from the Philippine Islands.　H. W. ALLEN.　1945.11.13 …… 283
台湾人輸送艦船運航表 …… 284
在日台湾人分布表（厚生省調） …… 286
台湾人調査　二一・三・一八現在 …… 287
台湾配船予定表（二一・一・二六現在）／台湾配船予定表（二一・一・二八現在） …… 289
台湾ヨリノ引揚状況其ノ他調査（一月三十一日現在）　第二復員省ニ付調査（清川属調査） …… 294
台中州下日人還送情況（二一・四・五） …… 298
定着地ニ於ケル海外引揚者援護要綱（昭二一・四・二五　次官会議決定） …… 300

八、右記ハ本投降書ニ列記セル各款及蒋委員長並其代表者何應欽上将ノ爾後投降日軍ニ対シ発セラル命令ヲ即時各級将校及士兵ニ転達遵奉セシムヘシ

九、上記第二款記載地区ノ全日本将兵ハ当該命令ノ完全履行ニ対シ責ヲ負フヘキモノトス

九、投降セル日本陸海空軍中如何ナル者タリトモ本投降書ニ列記セル各款及蒋委員長並其代表者何應欽上将ノ爾後発セラルヘキ命令ニ対シ履行不能若クハ遅延アルトキハ各級責任長官及命令違反者ハ処罰セラルヘシ

日本帝国政府及日本帝国大本営ノ命ヲ奉セル署名者

中国派遣軍総司令　陸軍大将　岡村寧次　(印)

昭和二十年(西暦一九四五年)九月九日午前九時　於中華民国

南京ニ於テ署名ス

共第五號

中華民国、アメリカ合衆国、大ブリテン聯合王国、ソヴィエト社会主義
共和国聯邦並日本ニ対シ作戦セル其他ノ聯合国ノ利益ヲ代表
シ本降書ヲ接受ス

中華民国三十四年（西暦一九四五年）九月九日午前九時　分

中華民国南京ニ於テ、

中国戦区最高統帥特級上将　蒋中正特派代表

中国陸軍総司令陸軍一級上将　何応欽　（印）

臺灣省行政長官公署警備總司令部前進指揮所通告　進字一号

本指揮所は令を奉じ中華民國三十四年十月五日到着六日執務を開始し、茲に左記各項を布告す

一、行政長官兼警備總司令陳儀上將の未だ臺灣に着任せざる以前に於ては當地一切の行政司法事務は從來の如く臺灣總督府以下原有各級機関に依りて現状を維持継續せしむ。本所より指示すべき事、宜あらば臺灣總督府をして之を轉達せしめ、本所は自ら之を處理せず

二、臺灣現行の貨幣は引き續き流通を允許す

三、交通、通信及一切の公用事業は從來の如く継續進行すべく停滞を許さず、工商各業務は必ず

共第五號

心を安んじて之れが経営を継續すべし

四、各種學校は仍ほ授業を継續すべく其の教材に若し中華民國の國体地位及教育精神に抵触するものあらば直ちに之を削除すべく、文字言論に上述原則に違反するものあらば其の發言者及其の主管人は共に其の責を負ふべし

五、本指揮所は民意の上達を期せんがため、地方民衆團体及個人の政見及地方情形に関する報告書を接受す。其の内容は必ず標題を提示し項目を分ち、清晰、簡明なるを要す。但し民刑司法事務に渉り、或いは情感を挑撥、抵毀若しくは刺激する者並に住所姓名を記載せざる者は之を受理せず

六、本指揮所執務時間及接見時間

本所執務時間　午前八時――十二時

午後二時――六時

公務接見　午前九時――十一時

（関係書類携行の事）

特約接見　随時約定

記者訪問　午後三時――四時

普通訪問　午後四時――五時

七、本指揮所は一切の團体及個人に依る公私各種の招宴並びに贈答を接受せず。

右七項を通告周知せしむ

主任　葛敬恩

中華民國三十四年十月六日

臺灣總督府

共第五號

臺灣總督府

前進指揮所臨時執務地点

臺北市圓山町　南方資料館

電話　一四三號

十月二十六日附、前進指揮処主任葛敬恩通告。

進字第一号（提要）

一、陳儀上将着任前ニ於テハ一切ノ行政司法ノ事ハ従来ノ如ク總督府及現有機関ニヨリ現状ヲ維持継続セシム、指揮処ニテ指示セラルベキ事項ハ總府ヲシテ遵達セシメ指揮処自ラ之ヲ樹立ス

二、台湾銀行券ハ引続キ流通ヲ認許ス

三、交通及電信其他一切公用ノ事業ハ継続進行スベク停滞ヲ許サズ

四、各種学校ハ安心シテ学業ヲ継続スベク教材中ニ中国ノ国策及教育精神ニ抵触スルモノアラバ直チニ削除スベシ

五、指揮処ハ民衆上達ノ如何ナル政見、地方情况ニ関スル報告書ヲ接受ス

六、指揮処ノ執務時間及接見時間ハ（省略）

七、指揮処ハ公私ノ紹介指導ヲ接受セズ

（右接收ノ安全ヲ期シ、警備総司令部前進指揮処）

前進指揮処　旧総督官邸ヲ事務所

一〇月五日　一一五名着台

〃　一七日　二〇〇名 → 行政長官公署（市役所）

接收専門委員、六部門

（民政、教育、財政、農林、鉱工交通、市政、新聞放送）

米人顧問　モーベクー大佐

エバンス大佐 ― 行政方面担当（財政金融調査）

台北駐在ノ　ギルドレー大佐・コートリ大佐

大日本帝国政府

昭和二十年十月八日

終戦連絡事務局長官　成田一郎

交通局長殿

密文第五〇四二號

中華民國台湾省行政長官公署備忘録ノ件

昭和二十年十月六日中華民國臺湾省行政長官公署前進指揮所主任葛敬恩中将ヨリ臺湾總督ニ対シ別紙中華民國台湾省行政長官公署備忘録臺政字第一號及臺政字第二號ヲ手交セラレタルガ本備忘録ノ実施ニ関シテハ本府各主管局（部）課ヨリ別途指示又ハ照會アルベキモ貴局ニ於テ直ニ実施シ得ベキ事項ニ付テハ至急手配相成度

右通達ス

追而本備忘録ノ調査事項ニ関シ本府ヨリ係官ヲ
派遣セル際ハ其ノ用務ノ重要性ニ鑑ミ可及的便宜
供与ノ上協力相成度為念申添フ

写送付先　官房各課長、各局部長
東京出張所長

寫　秘

中華民國台灣省行政長官公署備忘錄　台政字第一号

日期　中華民國三十四年十月五日

台灣省行政長官公署ヨリ日本台灣總督

安藤利吉將軍ニ致ス

一、本人ハ中華民國台灣省行政長官ノ地位ヲ以テ中國國民政府主席、中國戰区最高統帥蔣委員長ノ命令ヲ奉ジ現在台灣(澎湖列島ヲ含ム　以下同ジ)ノ一切ノ法定領土、人民、治權、政治、經濟、文化等ノ施設及資產ヲ接收ス

二、日本台灣總督安藤利吉將軍ハ本備忘錄ヲ接受シタル後ハ直チニ本長官ノ一切ノ命令ヲ奉行シ所轄機関ノ移交事項指揮ノ責ヲ負フベシ

三、安藤利吉將軍ハ本備忘錄ヲ接受シタル後

下列各項ヲ執行スル為命令ヲ下達シ並ニ其ノ徹底実施方監督ノ責ヲ負ヒ以テ本長官ノ派員接收ニ備フベシ

ハ・台湾ニ於ケル有ラユル船舶車輌及一切ノ交通通信機関、放送局、民用飛行場、海港碼頭、工廠、鉱山、倉庫物資、民用建築物施設及文献檔案（戸籍、地籍、財務簿冊）情報資料（地図ヲ含ム）及各種試験研究記載各冊ハ原状ヲ維持シ完全ナル状態ニ於テ之ヲ保存シ停頓、蔵匿或ハ毀棄スルヲ得ズ

２　現在台湾ノ警察ハ各駐地ニ就キ地方ノ良好ナル秩序ヲ維持スベク日籍官吏ハ各原職ヲ保チ行政ヲ継続維持シテ停止スベカラズ工商ハ停業セズ

学校ハ授業ヲ廢スベカラズ

3、現在台湾ノ日人ノ華姓ニ改メ華人ノ日姓ニ改ムルノ行為ハ即時之ガ取締ヲ加ヘ其ノ已ニ改姓セル者ハ詳細ニ簿冊ニ記載シ移交ノ準備ヲ為スベク假冒ハ之ヲ嚴禁ス

4、現在台湾ノ公私財産ハ動産及不動産ヲ含ムハ直ニ轉移及賣買ヲ停止シ公債、社債ハ其ノ募集ヲ停止スベシ

八月十三日以後ノ一切ノ變更ハ別ニ簿冊ヲ以テ呈報スベク聊カモ隠瞞スルヲ得ズ

四、安藤利吉将軍ハ本備忘録ヲ接受セル後即時下列各項ヲ忠誠確実ニ調製整備シ十日内ニ之ヲ完成シ前進指揮所ニ送附スベシ。

1、台湾總督府及ビ所屬機関（州廳、郡、支廳、市ヲ含ム）本年度ノ收支豫算及実際ノ收支状況（本年九月末ニ至ル）説明書表二通。

2、台湾公営事業（專賣、貿易及其他ノ公営事業ヲ包括ス）ノ機構、分布地点、資産及業務状況説明書表二通。

3、台湾各金融機構経営業務及其分布状況説明書表一通。

4、台湾銀行一九三六年ヨリ一九四五年ニ至ル各該年六月三十日、及一九四五年七、八、九、三箇月ノ発行總額、並ニ五千円券、十円券、五円券、一円券及補助紙幣ノ各別發行額分別別表、並ニ説明各二通。同時ニ発行原簿ヲ提出スベシ。(該原簿ハ査驗ノ後即時返還ス。)

5、台湾現在ノ物價指数表二通。

6、台湾日本政府投資事業ノ情況説明書表二通。

7、台湾農業資金貸出情況(特ニ甘蔗及稲作ニ関スルモノ)説明書表二通。

8、台湾各株式會社名簿二通。其ノ内容ハ名称、地点、資本額、董役、支配人ノ姓名、業務種類、歴年資産負債表、株主名簿、社債種類数額並ニ利率各項ヲ包括スベシ。

9、台湾政府及日本政府投資ノ工鑛業名簿二通。其ノ内容ハ名称、地点、資本額及台湾及日本政府ノ投資額、支配人姓名、業務種類、歴年資産負債表各項ヲ包括スベシ。

10、臺灣目下ノ交通通信情況（線路、器材種數及使用ニ堪ユル程度）圖表說明、及各交通通信機構ノ簡明ナル財務報告（營業情況ヲ說明スベシ）、並ニ全部ノ財產目錄各二通。

11、臺灣工礦、農林、漁牧（官有、公有ノ工礦、農林牧用ノ土地ヲ含ム）各業ノ簡明ナル情況書表二通。

12、臺灣ノ糧食生產、分配及貯藏情況書表二通。

13、臺灣蔗糖生產及在庫數量分布情況圖表各二通

14、臺灣警察配置情況圖表及說明（警察人員數及武裝種數ヲ含ム）各二通。

15、臺灣戰事前後一切ノ損毀情況圖表及說明各二通。

16、臺灣總督府及其所屬機關最近ノ職員錄（州廳郡支廳市ヲ含ム）二通。

17、臺灣各種學校各教育機關員生名簿各二通。

18、臺灣日本籍人民數分布職業統計圖表各二通。

五、日方ガ余ノ一切ノ命令執行ヲ監視シ且ツ双方ノ連絡ヲ保持セン為本長官ト臺灣省警備總司令部ト會同シ本公署秘書長葛敬恩中將、警備總司令部參謀長范誦堯少將ヲ派シテ所要人員ヲ率ヰシメ先ヅ臺北ニ派遣シ前進指揮所ヲ設置セシム。其ノ本長官ノ

命令轉達ニ對シテハ速カニ之レガ遵守ヲ
要望ス。
六　其他臺灣一切ノ移交ノ實施命令ニ關シテ
ハ本長官ヨリ別ニ之ヲ通知ス。

中華民國臺灣省行政長官
陸軍上將陳儀

本備忘錄ハ本公署前進指揮所主任葛敬恩
中將ヨリ安藤利吉將軍或ハ其ノ代表ニ轉
交ス

秘

臺灣省行政長官公署備忘録

臺政字第二號

日期　中華民國三十四年十月五日

臺灣省行政長官公署ヨリ

日本臺灣總督安藤利吉将軍ニ致ス

臺湾省ノ金融紊乱ヲ避免セン見地ヨリ本長官ハ暫時中國現有ノ法幣ヲ使用セズ並ニ臺湾省幣制未ダ整理セラレザル以前ニ於テハ仍ホ現有ノ幣制ヲ沿用スルコト既ニ規定セリ。茲ニ本公署及警備總部前進指揮所ハ臺湾現行ノ紙幣ヲ必要トスルガ故ニ即時臺幣参千萬圓ヲ呈出シ該前進指揮所主任葛敬恩中将ニ手交スベシ。且ツ葛敬主任ノ臺湾到達四時間以内ニ右金額ノ中参百萬圓ヲ手交シ、残餘ハ葛主任ノ必要ニ應シ隨時提供スベシ。速カニ之ガ實行ヲ要望ス。

中國臺灣省行政長官陸軍上將陳儀

本備忘錄ハ本公署前進指揮所主任葛敬恩中將ヨリ安藤利吉將軍或ハ其ノ代表ニ轉交ス。

寫

大日本帝國政府

十月九日

農商局長

總務長官宛

電譯文

中山台灣省行政長官公然備忘録ノ件

五日着任セル葛敬恩中将ハ前進指揮所主任トシテ

昨日電セル通告書第一号ヲ布告セルカ引續キ

六日午后四時警備司令部備忘録署字第一号及

第二号ヲ軍司令官宛ニ又行政長官公署備忘録

政字第一号及第二号ヲ總督府宛ニ正式交付式ニ於テ

交付セラレタリ 政秘字第一号備忘録ノ内容概要左ノ

如シ

一、行政長官ハ蔣委員長ノ命令ヲ奉シ台灣ノ領

土、人民、其他一切ヲ接收ス

別ニ寫一部ヲ管理部長へ

東・東 一一三七

（國定規格B5 一八二×二五七粍）

大日本帝國政府

二、総督ハ本件命令接受後ハ直チニ行政長官ノ一切ノ命令ヲ奉行シ所轄機関ノ移行（公務履行事項指示）ノ責ヲ負フヘシ

三、総督ハ本件命令接受後ハ下列ノ各項ヲ執行スル命令ヲ下達シ徹底実施方監督ノ責ヲ負ヒ本長官ノ派遣員ノ接収ニ備フヘシ

(イ) 凡テノ交通、通信、生産、貯蔵、文献、資料研究ノ現状ヲ維持保存シ何等毀棄スルヲ許サス

(ロ) 現有警察ニヨリ地方ノ良好ナル秩序ヲ維持シ日本官吏ハ現職ヲ保チ行政ヲ継続シ停止スヘカラス、又商工業ハ停業スヘカラス学校ハ授業ヲ廃スヘカラス

(ハ) 改姓名ノ許可ノ停止

（國定規格B5 一八二×二五七粍）

東・東 一一三七

(二) 公私財産ノ動移及売買停止並公債、社債ノ売買停止

四、総督ハ備忘録接受後下列各項ノ調査ヲ調製シ十日以内ニ完成提出スヘシ

(イ) 本府及所属機関ノ二十二年度予算及実際収支状況

(ロ) 公営事項ノ機構分布、資産、業務状況

(ハ) 金融機構、経営業務及分布

(ニ) 台湾銀行券発行状況ノ詳細

(ホ) 物価指数表

(ヘ) 政府投資事業状況以下十八項目ニ亘ル産業行政教育等ニ関スル極メテ詳細ナル調査

備忘録「第二号」ノ内容概ネ左ノ如シ

(國定規格B5 一八二×二五七粍)

東・京 一一三七

大日本帝國政府

一、台湾省ノ全般ニ亘リ紊乱ヲ避クル為行政長官ハ暫時
中日現有法幣ヲ使用セズ、台湾幣制整理前
ニ於テハ当分旧有幣制ヲ援用シ、公私及指定処ノ
必要トスル資金ニ充ツル為即時台湾銀行券三千
万円ヲ提出シ且ツ主任ノ必要ニ応ジ即時並随
時提供スヘシ
並ニ指定処ニ運輸シ以テ台湾ノ治安並経済秩序
ニ何等ノ変革ナク一般ハ極メテ平静ナリ
省内職員一同ハ下命事項ヲ誠意ヲ以テ迅速
正確ニ遂行スヘク努力ヲ傾ケツツアリ御安心アリ度

以上、

（國定規格B5 一八二×二五七粍）

東・東 一一三七

台進字第二号

台湾政府、日本政府又日籍人民ノ所有スル公私財産（動産不動産ヲ含ム）ハ既ニ之カ移動転売ヲ禁ジアリタル所、報告ニヨレバ不逞ノ徒アリテ恣ニ公私財産及公用器物ヲ盗売ニ甚ダシキハ改姓名ヲナシ不動産等ノ名儀変更スル等ノ事アリト、誠ニ不法ナリ、依テココニ特ニ公告スルコト左ノ如シ

一、中華人民ハ日本人ノ公私財産ニ対シテハ商店ノ習慣デアル正常ノ営業ノ危キ濫リニ小利ヲ貪リテ秘カニ買取リ、従イテハ法律制裁ヲ受ケ又私人ノ損失ヲ蒙ルガ如キ事アルベカラズ

~~一、日籍人民~~ハ取極ヲ知ラズシテ既ニ本年八月十五日以後買取リ或ハ改姓名ヲナシ営業ヲ為シタルモノハ速カニ主管機関ニ申告シ現物ヲ元所有主ニ返還スベシ

二、日籍人民ハ特ニ良ク法ヲ守リ規定ヲ遵守シ以テ左ノ貸ニ乗ジ或リ詐欺ヲ以テカス等ノ行為ニ依リ法ニ触レ自ラヲ過マルガ如キ事アルベカラズ

推挙

大日本帝國政府

若シ上述ノ犯行アリテ一度発見セバ唯ニ本人ノ罪ヲ問フニ止マラズ類ヲ卿カ

政府ニモ及ボシ尊レノ外責ヲ負ハシムルコトトナルベシ

三、右遵守セヨ　ここニ布告ス

中華民国三四年十月十二日

主任　葛敬恩

台湾省字第三号

調ノ所ニ依レバ台湾全省各地ニ於テ数多ニ財物ヲ掠奪シ、森林ヲ盗伐シ、黄牛ヲ盗ミ之ヲ屠殺シ秩序ヲ破壊シ衆人ヲ集メ賭博ヲ為スコトアリト、実ニ不法ノ極ミナリ、速カニ調査捕縛ノ上処断スベシ、其ノ他婦女子ヲ強姦シ交通通信ヲ妨害シ公物ヲ毀損シ物資ヲ窃盗シ行政ヲ阻害スル等ノコトハ最モ厳重ニ調査禁圧シ違反者ハ一律ニ法ニ依リテ厳重ニ追求処罰シ決シテ寛貸セズ、茲ニ通告スルコト左ノ如シ

一、台湾ノ主権ハ既ニ中国ニ接収セラレタリ、正式事務接収以前ニ在リテハ暫定的ニ現有各機関ニ依リテ服従スルモ之ハ中国政府ノ命令ヲ奉ジテ行ヘルモノナリ、凡ソ我人民ハ合法的処置ニ対シテハ均シク一律ニ遵守シ騒擾妄動シテ法ニ触ルルコトアルベカラズ、若シ上記ノ罪アリタル場合ハ必ズ厳重ニ処罰シテ宥責セズ。

二、台湾ノソコニ休戚ヲ同ジクシ真実互助スベシ、凡テノ地方ノ有識ノ士ハ誠実ニ

（内閣ヨリ）八時[illegible]受

大日本帝国政府

指導ニ任ジ省民ヲシテ軌道ヲ外レタル行動ヲ採ラシムベカラズ、同時ニ各地方ノ実際ノ需要ニ応ジ曾テ軍事訓練ヲ受ケタル学徒兵ヲ集メ、其ノ在来ノ業務ニ差支ヘナキ條件ノ下ニ甚ダシク多数ニ上ラザル必要限度ノ人員ヲ以テ地方服務隊ヲ暫時編成シ各々交代シテ軍警ト協同巡察シ以テ盗匪ノ續出ヲ防グベシ

三、目下日籍官憲ハ依然確実ニ責任ヲ以テ地方ノ治安ヲ維持シ敢テ怠慢不注意ナルコトアルベカラズ総テ中華民国ノ法律及本処ノ命令ノ措置ニ違反セザル様心掛ケ依然服務ヲ継續シ行政ヲ中絶セシメザル様斯クテ秩序ハ確保セラルベシ各階日籍官憲若シ良ク其ノ職ヲ盡セバ自己ノ運命モ漸次希望ノ光明ニ近ヅクベシ又、責任ヲ・ニニ或ハ職務ニ忠実ナラザルトキハ自ラ招キテ処分セラルルニ至ルベシ

四、凡ソ現在台湾ニ在ル日籍居留民ハ本処ノ命令及逐次発表セラル所ノ布告ヲ自ラ細心ノ注意ヲキツテ遵守実行スベシ、若シ已レガ命ニ応ジ職務ヲ奉行シ怠ラズ併セテ忠実ニ地方ノ為協力服務スル時ハ本処自ラ之ヲ

優遇スベシ若シ我方ノ軍民ニシテ濫リニ欺瞞凌辱ヲ加ヘ法規ヲ犯ス者
アルトキハ即チ厳重ニ制裁セラルベシ
五、目下在臺ノ中国官憲ハ台湾今既ニ回復セラレタルヲ知度スベシ 諸士ノ責任ハ
更ニ重大ナリ、宜シク中華民国ノ法律ヲ遵守スルヲ要ス 中国公務員タルノ
厳正ナル立場ヲ以テ国ノタメニ忠実ニ服務スベシ 若シ不法行為ヲナシ罪
ニ問ハルヽカ如キ行為アリテ発覚セバ直チニ厳罰ニ処セラルベシ
以上ノ五項ヲ各々遵奉スベシ 茲ニ布告スベシ

大日本帝国政府

台進字第四号、

果ツテ納税ハ全民ノ当然ニ負フベキ義務ニシテ全省居住民ハ国籍ノ如何ニ拘ラズ税制ノ未ダ改訂セラレザル以前ニアリテハ当然現行税則ニ則リ収税機関ニ対シ夫々応分納税スベキナリ、租税ヲ滞納シ税収ヲ障害セザル様茲ニ通告通知セシム、各々遵守スベシ

中華民国三四年十月十八日

主任　葛敬恩

中國臺灣省行政長官公署警備總司令部命令

署部字第一號

中國臺灣省行政長官兼警備總司令　陸軍上將　陳　儀　印

日本臺灣總督兼第十方面軍司令官

安藤利吉將軍

命令

中華民國三十四年十月二十五日
於臺灣省台北市行政長官兼警備總司令官邸

一、日本駐華派遣軍總司令官岡村寧次大將ハ、既ニ日本帝國政府及ビ日本帝國大本營ノ命令ニ遵ヒ、中國（東三省ヲ除ク）佛印北緯十六度以北及ビ臺灣澎湖列島ニ在ル日本陸・海・空軍ヲ率ヰ、中華民國三十四年九月九日、南京ニ於テ降書ニ調印シ、中國戰區最高統帥特級上將蔣中正ノ特派セル代理者タル中國陸軍總司令一級上將何應欽ニ對シテ無條件降伏セリ。

二、中國戰區最高統帥兼中華民國國民政府主席蔣及ビ何總司令ノ命令、及ビ何總司令ガ岡村寧次大將ニ宛テタル中字各號ノ備忘錄ノ指定スルトコロニ遵據シ、本官及ビ本官ノ指定スル部隊、並ビニ行政官ハ臺灣澎湖列島地區ノ日本陸海空軍及ビ其ノ補助部隊ノ投降ヲ接受シ、併セテ臺灣澎湖列島ノ領土人民治權軍政施設及ビ資產ヲ接收ス。

三、貴官ハ本命令ヲ受ケタル後ハ、凡ユル臺灣總督及ビ第十方面軍司令官等ノ職權ハ一律ニ取消シ臺灣地區日本官兵善後連絡部長ト改稱シテ、本官ノ指揮ヲ受ケ、屬下ノ行政軍事等一切ノ機關、部隊人員ニ對シテハ本官ノ命令訓令規定指示ヲ傳達スル以外ニ、如何ナル命令ヲモ發布スルヲ得ズ。

貴官ノ[redacted]ハ、本官ノ指定シタル部隊長官及ビ接收官吏[redacted]ノ命令規定指示ノ傳達ヲナシ得ル止マリ、自カラ擅ニスベテヲ處理スルヲ得ズ。

四、命令ヲ受ケタル日ヨリ、貴官自身並ビニ所屬ノ一切ノ行政軍事等ノ機關部隊人員ニ命シ、直チニ迅速確實ニ何時ニテモ命ヲ俟ツテ交代シ得ル如ク準備シ始ムベシ。若シ移讓スベキ物資文件ニツキ報告ノ虛僞及ビ盜賣隱匿毀損沈滅ノコト發覺セバ必ズ究明處斷ス。

五、以前ニ貴官ニ宛テタル各號備忘錄及ビ前進指揮所幕僚恩主任ノ發シタル文件ハ總テ本官ノ命令ト爲ス、須ラク確實迅速ニ遵奉シ同時ニ下屬ニ命ジテ一律ニ確實ニ實行セシムベシ。

右命令ス

本命令ハ受降式ニ於テ安藤利吉將軍ニ直接手交ス。

一〇四二五五

台湾行政長官公署署秘字第

陳儀ヲ台湾省行政長官ニ特任ストノ国民政府ノ命ヲ受ケ且ツ同省印章一箇ヲ接受セリ、依テ十月二五日ヨリ就任執務シ該印章ノ使用ヲ開始セリ、

右全省人民全部ニ周知セシムル為特ニ通告ス、

中華民国三十四年十月二十五日

台湾省行政長官　陳儀

大日本帝國政府

台湾省行政長官公署訓令 処接字第一号

元台湾総督府及該所属各機関文書財産等ハ本処接収ニ帰シタルニ依リ
台湾地区日本官兵善後連絡部長安藤利吉ハ本令ヲ処理スベシ
台湾全省ハ中華民国三四年一〇月二五日中国政府ニ帰シ、軍事方面ハ台湾省
警備総司令部ニ於テ責任ヲ以テ接収スベク別途指令ヲ発スルハ勿論ナルモ
元総督府及其所属各機関ノ文書財産及事業等ハ総テ本公署ノ接収ニ
帰シタルヲ以テ貴官ハ責任者一名ヲ指定シ日ヲ定メ本公処ニ来リ葛敬恩秘
書長ノ指示ヲ受ケ処理アリタク指定責任者ヲ至急報告サレ度ク命ス

右命令ス

行政ノ長官 陳儀

一〇月二八日

台湾地区日本官兵善後連絡部長宛

右ノ回答

中華民国三四年一〇月二八日附処接字第一号訓令拝承、同訓令ニ基ク責任者
ハ台湾総督府総務長官成田一郎ヲ指名ス、尚同人ハ目下上京中ニ付キ
不在期間中農商局長須田一二三ヲシテ代理セシム右通報ス

台湾省行政長官 陳儀閣下

台湾地区日本官兵善後連絡部長

譯文

臺灣省行政長官公署訓令 署接第壹號

三八日発

元台灣總督府及該所屬各機關文書財產等ハ本署接收ニ歸シタルニ依リ台灣地區日本官兵善後連絡部長安藤利吉ハ本令ニ依リ処理スベシ

臺灣全省ハ中華民國三十四年十月二十五日中國ノ版圖ニ歸シ軍事方面ハ臺灣省警備總司令部ニ於テ責任ヲ以テ接收スベク別途指令ヲ発スルハ勿論ナルモ元總督府及其ノ所屬各機關ノ文書財產及事業等ハ總テ本公署ノ接收ニ歸シタルヲ以テ當官

ハ責任者一名ヲ指定シ日ヲ定メ本公署ニ来リ[illegible]葛敬恩秘書長ノ指図示ヲ受ケ処理アリ度指定責任者ヲ至急報告方望ム

右命令ス

行政長官 陳儀

十月三十日　行政長官公署通達

台灣地區日本官兵善後連絡部長安藤利吉ノ終戰組第五号ノ通報ニ依レハ成田一郎ヲ派シテ本公署ノ折衝事務折衝責任者タラシムルモ成田一郎不在ノ内ハ須田一二三ヲシテ之カ代理ヲ為サシムル旨通達アリ、此ノ旨十月三十日本長官ヨリ本署ニ傳達アリタリ、依テ茲ニ成田一郎ヲ台灣地區日本官兵善後連絡部副部長トシ該副部長ノ職任セシメ并ニ須田一二三ヲ代理副部長タラシム茲ニ通達ス。　尚右ノ旨安藤利吉連絡部長ニ轉達アリタシ

（國定規格B5 一八二×二五七粍）

自 昭和二十年九月二十日
至

總務長官一行歸臺ニ關スル件綴

本件十月六日訂正ノ上再提出、
同時往航ヲ十月七日、八日、
復航ヲ十月九日、十日トス、

東京台北間連絡飛行ノ件

航空局（一〇、九、二四）

台湾事務連絡要員輸送ノ為左記ニ依リ東京、台北間連絡飛行ヲ実施致度ニ付御許可相成度

記

一、目的　台湾事務連絡要員ノ輸送

二、使用飛行機　DC－三型　一機

三、発着日時

往航	九月廿八日	一〇、〇〇	松戸発	一四三〇	福岡着
	九月二十九日	一〇、〇〇	福岡発	一四三〇	台北着
復航	十月三日	九、〇〇	台北発	一四、〇〇	福岡着
	十月四日	一〇、〇〇	福岡発	一四〇〇	松戸着

四、便乗者　台湾総督府総務長官　成田一郎　外三名

五、雨天順延

昭一〇、九、二四

局長 柳本書 殿

古庄理事官殿宛

鋼節長殿一行ハ飛行機ノ都合ニヨリ九月二十八日仕事分松山飛行場発、福岡一泊二十九日蓄岩ノ予定

南拓飛行機ハ十月五日岩北発、松戸ニ向ケ発

〇昭二〇、九、二六発

成田總務長殿発

福岡府知事宛

飛行機ノ都合ニヨリ帰台ノ時期遅ル、決定次第通知スルニ付

宜敷御願ヒス

〇昭二〇、九、二六発

首藤秘書殿

古屋理事殿宛

成田總務長殿一行ハ飛行機ノ都合ニヨリ帰台時期延期

セラル確定次第通知ス

台灣總督府東京事務所

㊐昭二〇、九、二六附指令

聯合軍司令部

日本帝国政府宛（経戦連絡中央事務局経由）

當總司令部ハ日本ニ在ル日本ノ華人官吏ガ三十八度以南ノ朝鮮ヲ除ク日本外占領地域ヲ訪問シ且又三十八度以南ノ朝鮮ヲ除ク日本外占領地ニ在ル日本華人官吏ガ日本ヲ訪問スルコトノ許可ヲ申請セル照會ニ接シタルガ右ニ関シ當總司令部ハ日本帝国政府ニ対スル各地域ノ司令官ハ斯ル訪問ニ同意セザル旨ヲ通報ス

（写）

昭二〇、九、二八

總督宛　　長官

小官帰台ハ飛行機ノ便ナキ為マッカーサー司令部ヨリ中国政府ニ合議セル処同政府ヨリ自今同政府ノ要求スル人物以外ハ帰台セシメザルコトトノ返事アリタル由ニテ小官一行ノ帰台ニ付テモ中国側ヨリノ要求ヲ必要トスルニ至レリ

依テ台湾軍ヨリ支那総軍ヲ通シ中国側ヨリ小官一行三名ノ（又西村文教局長並台南州知事以上五名）帰台ヲ要求スル様至急手配ヲ乞フ

尚ホ本件ニ関シテハ別ニ外務省ヨリ南京大使館ヲ通シ諒解取付方手配中ニ付御含置相成度

（四）

第一八二号　谷大使宛

外務大臣発

冀東ニ於テ聯合軍当局司令部ニ対シ目下北京中ノ台湾総督府
成田総務長官、斎藤秘書官等数名ノ総督府関係者ヲ
諸般事務処理ノ為帰台セシメ度キニ付東京台湾飛行機ノ申請
シ居リ尚先般同司令部ヨリ支那政府ニ照会セル結果支那側ニ
於テ異議ナキ旨回答セル由ナルモ、外務当局ニ於テモ斡旋方要望アリ
知照セルニ付右飛行ヲ許可シ難キ旨回答アルニ付テハ日程最小限成
田（一名）総務長官、斎藤（一名）秘書官、三輪（同）及下山
（英三）台銀頭取、西村（保一）又ハ為是乃兄ハ此ノ際日本ヘ帰
台セシメ度キニ付貴方ヨリ支那側ニ工作ノ上許可取付ケラレ度シ
右承認ノ上ハ至急支那側ヨリ当地聯合軍最高司令部宛其ノ
旨通報方手配セシメラレ度シ

台湾向飛行機搭乗理由書

台湾總督府總務長官　成田一郎
仝　文教局長　西村徳一
仝　秘書官　齋藤茂
仝　總督府屬　三浦司
臺灣銀行頭取　上山英三

右五名ハ台湾終戦ニ伴フ引揚配船、人事問題等ノ善後措置殊ニ聯合国側ヘノ諸般ノ引継事務ノ円滑ヲ期スベク中央トノ打合用務ヲ帯ビ上京中ノ処十月上旬聯合国軍側ノ台湾進駐ノ次第モアリ之ガ接收事務上當面ノ折衝機関タル總務長官及一行ノ長期ニ亘ル任地不在ハ聯合国軍側接收事務ノ不円滑ヲ招カシムル懼レ亦ナシトセズ仍テ茲ニ理由ヲ具シ一行ノ帰任ニ飛行機便ノ速カナル高配ヲ希フ次第ナリ。

（日本標準規格 B.4）　東・東 1137

至急略號 電報

九、三〇

一五、五五 発
二〇、三二 着
二〇、四〇 受
二一、五〇 真

発 支那派遣軍総参謀長（南京）

宛 次官

總参三電第三〇三號

外務大臣宛 堀内公使ヨリ
貴電第一八二號ニ関シ台湾軍ヨリ総軍宛申越シ既ニ総参二電第二八四號ニ依リ左ノ通返電済ナルニ付諒承アリ度
「貴方ノ努力致スベキモ「マ」司令部ノ方針ガ内外ノ連絡ヲ極度ニ抑圧シアルヲ以テ実現極メテ困難ノ見込ナルニ付諒承アリ度」

臺灣總督府東京出張所

昭二〇、一〇、一受

文書課長殿

高雄州知事宛

長殿　当方五名帰臺飛行ノ件ニ付台湾軍ヨリ支那総軍ヘ
通ゼ中国側ノ許可方手配中ナリ　許可アリタル場合ハ支那総
軍ヨリ当方並ニ東京陸軍省宛通報アル筈ニ付御諒承
ヲ請フ

臺灣總督府東京經濟事務所

昭二〇、一〇、二発

總務長官発

總督宛

小屋得後任ハ上山臺銀頭取ハ當地ニ於テ辭職スルコトトナリ
タルニ付後任者ヲ御詮議ノ上一河田君トシ取計ヒ請フ

昭二〇、一〇、二発

総務長官発

総督宛

小磯一行帰任ノ件ニ付総督ヨリノ回答拝承ス当方ニ於テモ実現方極力努力中ナルモ重ネテ御尽力願上グ

至急暗号電報

九、三〇

一五、五五発
二〇、三二着
二〇、四〇受
二一、五〇号

陸軍次官宛

支那派遣軍総参謀長（菊字）発

総参三電第三〇五号

外務大臣宛

堀内公使ヨリ

台電第一八二号ニ関シ当地総軍ヨリ総督宛依頼ニ関シ

台湾総督府東京経済事務所

總督ニ電第二八四號ニ依リ右ノ通返電済ナルニ付諒承アリ度

一、貴電ノ如ク努力致スベキモ「マ」司令部ノ方針ガ内外ノ連絡ヲ極度ニ抑圧シアルヲ以テ実現極メテ困難ノ見込ナルニ付諒承アリ度

臺灣總督府東京事務所

昭二〇、一〇、三発電ノ一部

總務長官名

安藤臺灣總督宛

三、本邦帰還ニ付テハ先月二十六日マッカーサー司令部ニ於テ華人及安定カ内地外地間ノ渡航スルコトヲ全般的ニ禁止シタルコトニ基キ臺灣政府カ積極的ニ帰還ヲ希望スル意思表示ヲ為サシムル為未タ許可ヲ得ルニ至ラス　当方ニテモ外務當局ヲ通シ重ネテ臺灣側ニ諒解サレツツアルヲ以テ閣下ニ於レテモ之カ実現ヲ見ル様格別ノ御配慮ヲ御願ヒ申上ゲ

臺灣總督府東京事務所

昭二〇、一〇、五施行

台湾総督府

終戦連絡中央事務局御中（第五部中坊方面部長ヘ手渡　並ニ進行）

福岡、台湾間連絡飛行ノ件

別途陸軍省ヨリ聯合軍司令部宛許可申請中ノ首題ノ件ハ台湾総督府参事官以下四名帰任ノ途ニ就キ急速実現方特ニ御配慮願上候

追而理由書及経緯書添付候条申添候

経緯

一、成田総務長官ハ終戦ニ伴フ日本人ノ引揚関係善後措置特ニ聯合国側トノ諸般ノ引継事務等ノ円滑ヲ期スヘク中央トノ打合セ要務ヲ帯ビ聯合軍司令部ノ許可ヲ得テ九月二十日上京シ

二、速カニ帰任スヘク九月二十四日附ヲ以テ九月二十八日松戸ヨリ福岡経由台北ヘ

飛行許可願ヲ提出シタルモ總務長官一行ノ帰臺ノ必要性ノ説明足ラズ
シテ為カ許可ヲ得ルニ至ラザリシモノニシテ今日ニ至ル

三、臺灣ノ引渡ノ円滑ナラザル結果ヲ招來セズヤト思ヒツツアル處ニシテ茲ニ
別紙理由書ヲ附シ再度願出タル次第ナリ

臺灣向飛行機搭乘理由書

臺灣總督府總務長官　成田一郎
仝　文教局長　西村德一
仝　秘書官　宮義茂
仝　長官秘書　玉崎司

右ノ四名臺灣終戰ニ伴フ引揚邦人ノ問題等ノ善後措置特ニ聯合國側ヘノ諸般ノ引渡事務ノ円滑ヲ期スベク中央トノ打合用務ヲ帯ビ上京中ノ處十月上旬聯合國軍側ノ臺灣進駐ノ次第モアリ之ガ接

収支事務上当面ノ折衝措置タル総務各般一切ノ長期ニ亘ル任地不定ハ総合国策推進事務ノ円滑ヲ損スル惧レ無シトセズ仍テ前記ノ理由書ヲ具シ一時ノ帰任飛行機便ノ速カナル高配ヲ希フ次第ナリ

昭二〇、一〇、六 受電

文書課長発電

安井部長宛

総長帰任増員輸送ノ件ニ十月七日台湾発福岡造ノ飛行機アラバ翌十月八日折返シ台湾ヘ帰航予定ナルニ付キテハ六ニ増員モ亦人迄ハ可能視セラルルノ條陸軍当局ニ交渉シアルニ付キ至急陸軍当局ト連絡ノ上出発準備ヲ為サルル様御願ス

昭二〇、一〇、六 発電ノ一部

総務長官

台湾総督宛

六、小段帰任ニ関スル御苦配ニ対シテハ深謝ニ堪ヘズ関係者当ト緊密

臺灣總督府東京事務所

ナル送還ノ下ニ工作中ナルカ更ニ米軍司令部ニ対シ直接了解方求メツヽアリ

昭二〇、一〇、六附電

總務長官名

外事部長宛

當地ヨリ福岡経由臺灣ノ帰還希望者ニ関シテハ目下本府ノ帰任ノ件ト共ニ許可申請中ニシテ右カ実現ニツキテハ聯合国最高司令部ニモ直接交渉ナシ努力中ナルモ見透シトシテハ結局中国側ノ同意又ハ要求ヲ必要トスルモノト思料セラルヽヲ以テ曩ニ總督宛打電シアルル如ク中国側ヨリ聯合国最高司令部ニ対シ本府一部ノ帰台ヲ要求セラルル様別途工作中ナリ

二〇、一〇、七

總督宛

長官名

電文

十九日一行帰任ノ件(任)聯合軍最高司令部ニ於テ直接折衝シタル所結局前便ノ用件中各項ハ特別ノ要求ヲ除キ不要ナリトシ同司令部ヨリ今日ニ中央側ニ於テ照会スルコトトナリタルニ付右御諒承ノ上十九日一行帰任ヲ要求セラルルヤウ至急御手配乞フ尚別(紙)陸軍省ヨリ参謀長宛右ノ旨返電見猶又軍ニ外務省ヨリ南部大使館ヲ通シ右手配方依頼中ナリ為念

二〇、一〇、九　　七フヨ

總務長官宛

九日宮府通訳ニテ中支代表拉致ナキ旨御通訳（訳者前）

譯文

「長官帰任ノ件ニ關シテハ軍司令部ヨリ支
那側軍ヲ通シ屢次交渉シアルモ六日附總指示
第電ニ依リ重慶軍司令部ヨリ打電セラルルコ
トトナレリ、又外事部長ハ當地葛秘書長ニ對シ重
慶側ニ連絡方ヲ交渉スル手続中ナリ、尚總指
揮下ノ御意見トシテ東京ノ府合司令部ハ中
支側代表拉致シ居ル居ル者ナルヲ以テ之ニ極力交渉援
充實ノ第一ノ措置ナリトノ御意見アリタルヲ以テ
為念」

臺灣總督府東京出張所

昭二〇、一〇、九発　　總務長官名

福岡縣知事宛

電文

台北ヨリ来レル水交社ノ飛行機ハ當方ニアルモ水交社ノ渡台許可申請中ニ付暫ク待機方至急御伝ヘ乞フ

昭二〇、一〇、一〇受　　安達外事部長発

成田總務長官宛

臺電ノ件ハ逓課長トモ協議ノ上目下先方ト折衝中ニ付結果後報スベキモ不取敢

臺灣總督府東京出張所

昭二〇、一〇、一三施行

終戰連絡中央事務局 御中

臺灣總督府

臺灣總督府總務長官ノ歸任ニ関スル件

曩ニ十月五日提出候首題ノ件其ノ後ノ状勢変化ニ大日本
航空株式會社ノ航空機運航全面的ニ禁止セラレタルニヨリ
聯合軍最高司令部ノ手ニヨリ右ノ者ノ送還方實現御
取計相成度及右変更申請候也
追而右ノ者ノ氏名ハ左記ノ通ニ付御含ミ申添候

記

臺灣總督府總務長官 成田一郎
文教局長 西村徳一
秘書官 青木茂
技師 三神司

昭二〇、一〇、一六　午後二時

宮崎通訳ノ一部　　連絡者（又吉隊長　安井部長）

五、後段ノ将帰任ノ件ニ付テハ参謀長ヨリ中国側ニ申入レヲ為シ居ル
モ未ダ回答ナキトノ事ナレバ更ニ要求ヲ促進スベシ

昭二〇、一〇、一八　午後二時

宮崎通訳ノ一部　　連絡者（又吉隊長　安井部長）

六、後段ノ将帰任ノ件ハ當敵國ヨリ通ジ何縣當局ニ交渉中ナルヲ以テ
許可アリタルトキハ獨歩隊出迎ノ都合モアリ連絡乞フ　南京政廳
ノ家族出迎ヒハ獨歩隊ハ歸台セリ

臺灣總督府東京事務所

昭二〇、一、二〇 受電

福岡出張所発

總務長官宛

御照會ノ件雁ノ巣ニ調査セシモ進駐軍接收シアリテ飛行機ナシ、尚席田飛行場ヲ調査セシモ該当ナシ、帰台セシニ非ズヤト思ハル

昭二〇、一、二〇 発電

總務長官発

福岡出張所宛

貴電拝誦、当地ヨリノ送信ニヨリ飛行機帰台セシコト判明

多謝ス

昭二〇、一〇、二二午後二時　逓信省文書課長

当時通信ノ一部　　　　秘書官

一、鈴木文書課長ヨリ

俘虜帰還ノ件ニ付十月二十一日中国側ヨリ支那総軍ニ対シ両三日中

ニ支那側ヨリマツカーサー司令部ニ俘虜帰還方要求スルト回答アリタリト

―

昭二〇、一〇、二二発

参謀総長

電報訳

陸軍次官宛　　　　在支那派遣軍総参謀長

総参三電第一九九號

成田総務長官ヨリ帰還要求方二十一日附照会セラル　本件ハ中国ヨリマ

司令部宛送請ナル右為

臺灣總督府東京出張所

通電先　総督　台湾

昭二〇、一〇、二五発午後五時　　連絡者　鈴木大書記官
北野事務官

宣伝団長ノ一部

五、右ノ如キ状態ナルニ付キ長官閣下ノ帰台迅速ナルコトヲ鶴首シテ待チツツアリ　東京出張員総動員ニ依リ一日モ早ク帰臺セラルル様御尽力願フ　而シテ本府ニ於テ打ツベキ手アラバ早急御連絡願フ

第　號	接受 昭和二十年十月二十六日 起案 昭和　年　月　日
施行 昭和　年　月　日	決裁 昭和　年　月　日
淨書 校合 發送	

總督／

總務長官 成田

文教局長 西村

部長 西井

秘書課長（印）

電報譯文

東京成田長官宛　　長官代理須田一二三

長官ノ歸臺ノ件「二一日附中國側ノ許可アリ」タルコトハ電話連絡シタル通リナルガ當方ニテ二四日附ニテ支那總軍ヨリ左ノ通リ通報アリタルヲ以テ

結論申上ゲ、中國陸軍總司部訓令政字第七三號ナト本日受領セリ、一〇月一日附總聯絡第一四四號及一〇月一四日附第二八五號ノ申請ヲ受領セリ、申請前ヨリ前臺灣總督府官吏成田一郎等五名ヲ臺灣ニ飛ビ歸還セシメタシトノ件、ニ関シ陳政長及以下ヨリノ電報ニ依レバ速ニ歸臺ノ上接收ヲ處理セシムベキ人事係ナルハ總務長及成田一郎、秘書官齋藤茂、法務部副司、文教局長西村徳一等四人ナリトノ趣ナリ、右旨安案マツカーサー將軍ニ電報スルモ上記四名ニ速ニ飛ビ歸臺スル如ク通知スベシ

写

昭和二十年十月廿九日

臺湾總督府總務長官 成田一郎

終戰連絡中央事務局長官殿

台湾總督府總務長官一行帰台許可申請ノ件

臺湾總督府總務長官成田一郎及其ノ補助者一行四名ハ終戰ニ際シポツダム宣言ノ完全履行、台湾ノ円滑ナル引渡ノタメ中央政府トノ連絡ヲ目的トシテ「マ」司令部ノ許可ヲ得テ九月二十日飛行機ニテ上京セル處其後「マ」司令部ノ日本官吏ノ内外地往復禁止命令ニヨリ滞京中ナリ台湾総督府総務長官ハ台湾総督カ台湾軍司令官ナルカ故ニ一般民政ノ最高統卒機関ナルヲ以テポツダム宣言ノ完全履行、台湾ノ接収ノ円滑ヲ期センカ為ニハ台湾ニ在ルヲ要スルヲ以テ其ノ責任ヲ遂行センカ為過般来其ノ補助者三名ト共ニ帰台許可方九月二十四日付及十月五日附書面ニテ願出中ニシテ尚連日口頭ニテ願出中ナル處「マ」司令部ニ於テハ総務長官帰台ニ関シ中国側ノ要求ナキ理由ヲ以テ未タ許可ヲ発セラレサルモノナリ
然ル處十月廿四日中国側ヨリ中国派遣日本軍総参謀長ヲ通シ「マ」将軍ニハ中国ヨリ電報スルモ四名ニ対シ速カニ空路帰台スル如ク通知スヘシトノ通知アリタルヲ以テ速ニ本件許可方御取計願上ク

尚右長官一行ノ帰台ニ付テハ現在日本ノ航空機運航停止セラレ居ルヲ以テ米軍飛行機ニテ実貴方ニテ輸送方特ニ願ヒ度ク

追而一行官職氏名ハ左記ノ通ニ付申添フ

記

臺灣總督府總務長官　成田一郎

同　文教局長　西村德一

同　秘書官　齋藤茂

同　總務長官附屬　三浦司

以上

昭二〇、一〇、三〇午后二時

宮崎連絡ノ一部　送信者（富参知書長 / 河能軍務長）

二、（富参）参謀帰台ノ件ハ中國ノ要求到着セザル限リ帰台不能ナリ 前處ノ中國ノ要求ハ何日発信アリタルヤ 調査ノ上電報ニテ返アリタシ

昭二〇、一〇、三一午後二時

宮崎連絡ノ一部　送信者（錢水又青課長 / 富襄辦書局）

三、（錢水）参謀帰台ニ関スル中國側要求ノ到達セザルハ六ヵ変リタル京軍ノ移動アルタメ忘却シタル為ナランカトノ由ニテ更ニ要求スル由

二、

昭二〇、一一、一午后五時

宮崎通訳ノ二部

送信者 鈴木文書課長
北京事務所長

二、（鈴木）安藤御帰任ノ件重慶ヨリマッカーサー司令部ニ照會セシムル旨
ヲ陳ベテ支那総軍宛留役電報ヲ發シタリ

昭二〇、一、二午後二時

宮崎通訳ノ一部

送信者 鈴木文書課長
安井部長

一、鈴木ヨリ

(1) 安藤帰任ニ関スル中国側ノ要求ノ内容及打電ノ日時ヲ知ルコトハ
極メテ困難ナリ 本件ハ支那総軍―何応欽―在支米軍―在日
本マ司令部トイフ複雑経路ヲ経テ居ルガ故ニ在北ニテ之ヲ調
査スルハ困難ナリ

昭二〇、一一、廿九、発

須田農商局長発

総務長官宛

「イノ二」曩ニ十一月一日附総連絡第一四四號及十一月十四日附第一八五號ノ申請ヲ受領セリ、申請ニ依リ前台湾総督府官吏成田一郎等五名ヲ台湾ニ飛行機帰還セシメ度シトノ件ニ関シ陳行政長官ヨリ総務長官宛電報ニ依レバ速カニ帰台ノ上接収ヲ処理セシムベキ人員ハ成田一郎秘書官齋藤茂、属三浦司、文教局長西村徳一ノ四人ナリトノ報ナリ」右ノ旨在京マッカーサー将軍ニ電報スルモ上記四名ニ速カニ飛行帰台スル如ク通報スベシ以上」尚其後中国トマッカーサー司令部トノ連絡附カザル点ニ付当方ハ在支総軍宛ニ総務課長名ヲ以テ又葛秘書長ヲ通ジ中国側ヘ夫々督促中ナルガ葛秘書長ノ判断トシテハ南京東京間ニ意志ノ連絡ガ附カザル原因ハ多分最近在支米軍総司令部ガ重慶ヨリ上海ニ移転シタルニ因ルモノニ非ズヤト推ラシ居ラレタリ尚引続キ当方ニ於テモ促進方努力致度シ

昭和二十年十一月六日

臺灣總督府

終戰連絡中央事務局御中

台湾総督府総務長官ノ帰任許可申請ノ件

首題ノ件ニ関シ中國側ヨリ台湾総督府ニ對シ別紙ノ如ク帰任方要求ノ回答有之其後相当日時ヲ経過シタルモ「マ」司令部ニテハ未ダ中国ヨリ直接ノ要求未到着ナル由ニテ未許可ニ候處右ハ中国側要求未到着ナル原因ニ関シ台湾ニ在ル中国代表者ハ「在支米軍司令部ハ重慶ヨリ上海ヘノ移動アリタルヲ以テ其ノ間ニ於テ同司令部ヨリ「マ」司令部ニ対スル連絡欠ケタルニ

臺灣總督府東京出張所

臺灣總督府東京出張所

非スヤ」ト知悉シツツアリ果シテ然リトセバ米軍内ノ
コトニ屬スルヲ以テ「マ」司令部ニ對シ其ノ間ニ右事情
存セザルヤ調査方御依頼ノ上速ニ本件許可進行
方御取計願上候
尚右總務長官成田一郎ハ十月三十日中国台湾省
行政長官ヨリ台湾地区日本官兵善後連絡部
副部長トシテ中国側行政長官公署ノ為ス折衝事
務ニ對スル接衝責任者トシテ確認セラレタルモノニシテ
此ノ事ヲ以テシテモ台湾接收ニ必要ナル存在ニシテ
中国側モ帰台ヲ要求シアル證左ト見ラレ候條申
添候

別紙

中国側ヨリノ回答

一一月一日及一〇月一四日附陸、請求致セラ　陳中国台湾当局致送ノ電報ニ依レバ速カニ帰台ノ上接収ヲ処理スベキ人員ハ成田一郎、齋藤茂、三輪司、西村徳一ノ四名ニシテ右四名ノ帰台ニ付キマッカーサー将軍ニ電報スベキモ貴方ニ於テモ上記四名ニ対シ速ニ飛行帰台スル如ク通報相成度し

臺灣總督府東京出張所

昭二〇、一一、七受

須田長官代理發

電報譯

總務長官宛

十一月二日附御照會ノ貴官帰台ニ関スル中国側ノ要求内容ニ付キ
不取敢左ニ御報ス 本件ニ関スル連絡ノ經路ハ当方ニテ知リ得タル処ハ
台湾軍参謀課長、南京日本在支総軍、中国何應欽總司令部
上海在支米軍總司令部（最近重慶ヨリ上海へ移轉シタル由）
東京マ司令部ノ順序ニ據ルモノノ如シ 從テ当方ニ於テ中国側ノ要求ノ
内容ハ日附等正確ニ調査スルコト困難ナルモ 参考迄ニ電報御報
セル迄ナルモ当方ニテ受取リタル中国側ノ回答内容ヲ重ネテ御通知スレバ
左ノ如シ
(一) 十月二十三日南京発支總参謀長名、台湾軍参謀課長宛総參電
五一九號 成田長官一行帰台ノ処ハ二十一日附 認可セラル 本件ハ中国側ヨリ

「マ」司令部宛通知済ナリ

(二) 十月二十四日南京發支總參謀長名、臺灣軍參謀長宛總參電七二四號中國陸軍總司令部訓令政治第七三號左記本日受領セリ

(イ) 二號ヲ

昭二〇、二、九　午後三時

宜蘭通報ノ一部

連絡者　一文教局長
　　　　一文書課長

五、長官帰台ニ関シテハ台湾ニ於テ接收セラレタル旧桃飛行場ガ福岡名雁ノ巣又ハ新飛行場ニ差向クベキヤ以テ右御含ミノ上ニテ「マ」司令部ニ接衝セラルヽト共ニ期日ニ付テハ当方ニ連絡セラレ度

昭二〇、二、一〇　午後二時

宜蘭通報ノ一部

連絡者　一首席秘書官
　　　　一阿林事務官

三、長官出迎ヘ飛行場ハ福岡（雁ノ巣又ハ新飛行場）迄中國側ト諒解アリ　尚出発セシムルヲ要スルトキハ三日前ニ連絡アリ度シ

昭二〇、一一、一三 午后二時

宮崎通訳ノ一部

連絡者（文書課中村部／石井係長）

二、（石井）長殿帰任ノ飛行機ニ付テハ「マ」司令部ノ指示アリ次第（今明日中ニ確定ス）連絡可致ニ付右御含ミノ上準備願フ

一

昭二〇、十、十三、受

発　増田長官代理

電報訳

宛総務長官

長官一行帰台飛行ノ件「マ」司令部トノ連絡付キタル由一同愁眉ヲ開キタリ　搭乗機ニ付キテハ中国側ニ接収セラレタル台湾所在ノ元台湾軍飛行機ヲ利用セラルヽガ最モ迅速且ツ利便ト存ズ即チ最悪ニ中国側トノ間ニ於テ飛行ノ日並ニ当地ヨリ陸軍省ニ通知ヲ発シ台湾ヨリ福岡（雁ノ巣又ハ南飛行場何レニテモ可）直出迎ヘニ飛行スルコトニ付キテハ中国側ニハ完全ナル諒解済ノ事柄ナルヲ以テ御帰台ニ付キ「マ」司令部ノ許可ヲ受ケラルル際併セテ此ノ点諒解ヲ受ケラルレバ至極便利ト存ズ

（日本標準規格 B.4）　東・東 1137

昭二〇、十、十四、発 午前十時三十分

電話連絡事項

受 松野逓信部長

発 斉藤秘書官

文書課長ニ次ノ通リ傳ヘラレ度シ

総務長官帰台用飛行機ノ件

(一)「マ」司令部ニテハ中國本国政府ト折衝シアリテ斯クテハ日時ヲ要スルヲ以テ台湾省行政長官ヨリ左記ニ依リ直接「マ」司令部(東京都麹町区日比谷第一生命ビル)宛無電ニテ申込方御取計請フ

(二)右ノ申込内容ニ変更ノ要アルトキハ其ノ変更箇所及本件ノ処置進行状況ヲ本日ノ二時ノ定時通話ニテ通報請フ

(三)若シ右ノ定時通話ニ間ニ合ハザル時ハ五時迄ニ逓信部長ニ依頼ス

臺灣總督府東京出張所

シ通信院内台湾通信部ヲ通ジ通報請フ

記

男爵ニ中国側ヨリ送還依頼アリ元台湾総督府総務長官成田一郎
以下四名ノ文官ノ帰台ニ関シ左ニ依リ中国ノ飛行機ヲ運航セシムベキ
ニ付諒承請フ

1、機種　重爆九七一二

2、標識　胴及翼ニ中国標識ヲ付ス

3、日時　十一月九日　台北発九、〇〇　福岡（雁ノ巣）着一四、〇〇

十一月十日　福岡（雁ノ巣）発九、〇〇　台北着一三、〇〇

尚雁ノ巣飛行場ハ接収セラレタルニ付キ

1、帰途用航空燃料ハ携行ノコト

2、機体ノ整備ハ搭乗員ニテナスコト

ヲ要ス

以上

臺灣総督府東京事務所

（日本標準規格 B.4）　東・東 1137

昭二〇、十一、十四、

電話連絡事項

連絡者（文書課長 / 秘書官）

一、台湾省陳儀長官ヨリ「マ」司令部ヘ直接申入ヲナスコトハ出来ヌトノ返事アリ

二、台北ヨリ福岡往復ニ付キテハ航空用ガソリン二一、五〇〇立不足スル故補給ノ途アリヤ「調査スベシ又何トカスル」

昭二〇、十一、十五、午前九時四十五分

連絡者（文書課長 / 出張所長）

一、長官帰任飛行機ノ件ハ十八日出発十九日復航ハ陸軍ノ準備ノ都合ニ依リ困難ナリ、準備出来次第台北ヨリ通知ス

二、ガソリンハ往復共上海ニ寄航スルコトニ依リ補給シ得ルヲ以テ内地ニ於ケル準備ハ不用ナリ

三、二時ノ定時通話ノ際其後ノ「マ」司令部トノ交渉ノ結果オ知ラセ請フ

尚晨ニ台北ニ連絡シタル計畫ハ「マ」司令部ノ指示ナリヤ

昭二〇、十、十五、午前十一時

電話連絡事項

連絡者 秘書官
逓信部長

文書課長ヘ御傳ヘ請フ「長官歸台飛行機ノ件」

一、昨日電話ノ日程ハ「マ」司令部ノ指示ニアラズ二三日前ニ通知ヲ要スト
ノ貴方ノ言ニ依リ当方作製ノモノナリ

二、日程決定ノ上ハ当方ニ通知スルト共ニ昨日電話シタル如ク直接「マ」司令部
ニ陳儀ヨリ申入レ方努力請フ、飛行機ヲ飛バスコトハ中華民国ト米国
トノ問題ニシテ我々ノ云フコトハ容易ニ補助手段ニ過ギザル故陳儀ヨリノ
直接申入レノ件能フ限リ工夫、政治的文書ニ依リ実現ニ努力セラレ度シ

三、日程ハ上海経由モ可ナリ、又直接福岡ヘ来ル日程ナラバ帰途用燃料
ノ補給ニ付キテハ当方ニテ凡ユル手段ヲ講ジ補給実現ニ努力ス但シ機体
整備ニ付キテハ搭乗員ニ於テ実施ノコト

臺灣總督府東京出張所

（日本標準規格 B.4） 東・東 1137

四、当方ニ於ケル交渉ハ日程ノ決定スル迄停頓セザルヲ得ズ

（柏野）

賠償側ニテハ重慶ヲ通ゼザレバ直接「マ」司令部ニハ申込出来ヌコト

（有末）

斯クテハ日時ヲ要スル故無理デモ直接中央実現ノ努力ヲ請フ

右ハ不可能ナルトキハ重慶経由ヲ俟ツヨリ外手段ナシ

昭二〇、十、十五、午後二時

電話連絡事項

連絡者「文書課長 秘書官」

一、長谷帰台用飛行機ノ件

飛行機ハ二十日出発、二十一日（福岡）帰台ノ予定ニテ計画中ニシテ帰航用

燃料ニ付テハ補給方陸軍武官ニ打電セリ

仍而貴方ニ於テハ右飛行機ニ搭乗方許可ヲ得ラレ度シ

（有末）

飛行許可ハ「マ」司令部ニテハ機種、標識、日程等詳細ヲ具シテ得ラルヘ

臺灣總督府東京出張所

モノニシテ且ツ中国ノミノ許可ノ〔ミ〕ニテハ内地上空ノコトニ関シテハ不可ナル

ベシ、昨今ノ電話ノ通リ中国側ヨリマ司令部へ申込ヲナスヲ要ス

ベシ、

（鈴木）飛行許可ハ当方ニテハ中国ノ許可ヲ得ルコトヲ得ルノミ　マ司令部ノ

許可ハ東京ニテ得ラレ度シ

（齊藤）自分ノ飛行機ナレバ自分ノ名ニテ飛行許可願ヲ出シ得ルモ飛行機ハ

中国機ニシテ問題ハ中国ト米国カ当事者ナリ　其ノ連絡公的

ナラズシテ当方ノ努力ハ問題トナラズ　此ノ点十分考ヘラレ度シ

（鈴木）ソンナ事ヲ云ツテオテハ帰レナイゾ、何トシテモ飛ンデ行ク飛行機ニ

乗ル許可ヲ取リ、来レ、

二、予算ノ件

長官ヨリ電報アリタルモ双方ノ数ニ喰違ヒアリ　台湾事務所ハ接収セラ

レタルモノモ日本当事者ナリ、仕事ノミ中国ノモノ　此ノ点考ヘラレ度シ

詳細四・五日前ニ打電セリ、　齊藤（着カザルモノノ如シ）調ベテ着カヌナラバ知ラセヨ

臺灣總督府東京出張所

昭二〇、十、十六、午前十時

電話連絡事項

連絡者 秘書官
文書課長

（一）長官帰台飛行機ノ件

1、（有）昨日ノ電話ノ日程ハ決定セシヤ

（鈴木）二十日出発 二十二日福岡発ニテ中国側ト交渉中ニシテ細部ノ未決定ナルベシ 当方ノ折衝ニテハ細部日程ヲ要求セラルル故 時間等詳細ヲ知ラサレザレバ交渉不能ナリ、仍而時日等ハ一昨日当方ヨリ通知シタル通リニ合ハセシタシ、当方ニ於ケル「マ」司令部ヘ対スル申出ノ変更ハ問題ヲ起ス故貴方ニテ変更スルコトトシ 当方ノ申出ニ時日等ヲ求ルベク合ハセシタシ、変更ナキヲ欲スルモ変更アリタルトキハ二時ノ定時通話ニテ報請フ

2、当方ニテハ右ニ依リ交渉スルモ「マ」司令部ニテハ之ヲ中国側ニ求メル手続ヲ執ル故、時日ヲ短縮スル為ニハ台湾ニ在ル中国側ヨリ中国政府ニ日程ヲ通知シ置ク要アリ 寧ロ中国側ヨリ先ンジテ「マ」司令部ヘ

臺灣總督府東京出張所

通告スルヤウセラレタシ、
最モ時ヲ短縮スル方法ハ台湾ニアル中国側ヨリ直接「マ」司令部ヘ申入スルコトナルト 昨日一昨日ノ当方ヨリノ逓信部経由ノ電話ノ通リナリ 何トカ工夫セラレタシ
3、昨日及一昨日逓信部長ヨリ通シ電話シ 直接君ニセザリシハ逓信省ヲ通スレバ 電話機ハ何日モ破壊シテ 通話最モ早キタメナリ不悪諒承有リタシ、

(二) 台湾理事官へ伝言請フ
1、上奏中ノ人事書類ハ凡テ中国側ノ諒解アリヤトノ先日ノ電報ノ返事ヲ二時ノ定時ニ通話ニモライタシ
2、長尾氏ノ郵ニ帰台決定ノ日程ヲ知ラセ置カレタシ

(三)(鈴木ヨリ) 予ノ官舎要求書キタル電報ハ到着セリヤ
(台ヨリ) 到着セズ

(四)(鈴木ヨリ) 倉石ノ搭乗ノ件ハ厚生大臣ノ方ハ許可ヲ取リタルヤ
(台ヨリ) 相済ス

臺灣總督府東京出張所

(日本標準規格 B.4) 東・東 1137

昭二〇、一二、一六午後二時

電話連絡事項ノ一部

連絡者　鈴木文書課長
　　　　吉委担当者

一、（鈴木）日程ハ二十日及二十二日両日共出発七時トス

（吉委）着時刻ハ決メナカツタヤ

（鈴木）飛行機ハ遅レモ早クモナルカラ判ラヌデハナイカ

（吉委）折衝上予定ヲ必要トス

（鈴木）五時前後見当ナリオイテ置ケ　南苑時刻ハ許可ヲ受ケタ予定ノコ

付ケ度キモノ

（吉委）当方ハ七時発夕時刻ヲ要スルモノトシテ計算シ折衝ノ準備ヽ

トス

昭二〇、二、一六発

文書課長殿

上海発 柳書記宛

課長帰台飛行機ノ件レ當要ニ各方面ニ連絡ノ都合上十八日台北出発ハ到底困難ニシテ早クトモ二十日過トナル見込而モ往復共ニ上海経由トスレバ燃料ヲ福岡ニテ補給スルコトハ必要ナキコト判明セリ

臺灣總督府東京經濟事務所

臺灣總督府東京事務所用

昭二〇、二、一六發（警保局電話聽取）

内務部(?)長發

庁府県警察部長宛

臺灣ヲ訪問スベキ臺灣總督府文教局長西村徳一ニ對シ

左記ノ通リ措置セラレ度シ

記

臺灣ニ向フ飛行機ハ二十二日午前九時福岡發ノ予定ニ変更アリタリ　尚確定ノ上ハ更ニ通報スルモ二十一日午前ニ出發スルコトトナル(?)

昭二〇、二、一六発（警保局電保）

内務秘書官発

広島警察部長宛

当署ノ許ニ出頭スル台湾総督府文教局長西村德一ニ対シ左記連絡願フシ飛行機ノ都合ニ依リ前電ヲ変更ス来午ニ帰京セラルル筈ナリ

昭二〇、二、一六発（警保局電信室）

西村文教局長発

内務秘書官宛

十九日雁ノ巣発航空便此行ナルヤ返

臺灣總督府[illegible]東京[illegible]事務所

昭二〇、一一、一六施行

臺灣總督府名

終戦連絡中央事務局宛

台湾総督府総務長官帰台ノ件

同件 昭和二十年九月二十四日附
仝 十月五日附
仝 十月二十九日附
仝 十一月十六日附

首題ノ件ニ関シ今般台湾ヨリノ電話連絡ニ依レバ台湾ニ於ケル中国側ト協議ノ上左記ニ依リ中国飛行機ヲ出迎ノ為派遣セラルル許可成タル由ニ付テハ聯合軍司令部ニ対シ同飛行機ニ搭乗許可方御取計相成度

記

一、日時 十一月二十日 七.〇〇 台北発 一三.〇〇 雁ノ巣(福岡)
十一月二十二日 七.〇〇 雁ノ巣(福岡) 一一.〇〇 台北着

二、機種 支那九七式重爆二型

三、標識 胴及翼ノ両側ニ中華民国標識

昭二〇、一一、一七発（至臺湾高雄港宛）

東京事務所長

交通局鉄道部長宛

貴部ノ許ニ出頭スル臺湾總督府西村文教局長ニ対シ託記
連絡船ヲシ
便宜ヲ、二十八日早発神奈川県厚木飛行場発ニ変更セルヲ
以テ救キニ厚労セラレ度シ

臺灣總督府東京經濟事務所

昭二〇、二、一七午前十時卅分

電話連絡事項

長官代理殿　總務長官殿

總務長官歸臺飛行機ノ件

下ノ司令部ヨリ左ノ通指示アリタリ

一、飛行場ハ臺北出發場、内地ニ於テハ鹿兒島ハ鹿屋飛行場改修中ノ爲太刀洗飛行場ヲ使用スルコト

二、日時ハ十八日二十時臺北發、鹿屋ヲ經テ太刀洗着、二十一日太刀洗發鹿屋經由臺北着

三、機種　九七式重爆二型

四、標識　胴及翼ノ両側ニ中華民國標識ヲ付スルコト

尚當方ニ諸種ノ都合有之ニ付不足燃料ハ當方ニ於テ取計フニ付右ニ依リ實施ノコトニ決定アリタシ　右ハ航空局ニ於テ調査シタルニ實施可能ト称シ居ルヲ以テ當方ハ右計畫ニ依ルモノトシテ萬事進行ス

閲　返

昭二〇、二、二〇　午前一〇、三〇

電話連絡事項

連絡者　鈴木文書課長
　　　　青家事務官

一、(1)本日飛行機ハ出発セシヤ
(2)乗務員ハ何名ナルヤ
(3)前(1)(2)ノ返事ハ折返シ電話乞フ

二、飛行機ノ燃料不足補給整備、乗務員ノ食事ハ本省ト打合ノ上請ケタク存ス

三、二十日台北発ニ関シテハ陸軍当局ニテハ既ニ十七日台湾軍ヘ通報済ニ付飛来不要ナリト（兵務課大野中佐）

一、中国本国ノ許可ナキ為出発不能（接収後ノ情勢ノ変化ニ依リ中国本国ノ許可ナクシテハ飛行不能）

二、中国本国ノ許可アラバ米陸軍当局ヲ通ジ「マ」司令部ヘ申込ノ故

シレト連絡ヲトリテ努力シテ貰ヒタシ

當日時ハ二十五日頃トナルナラン

昭二〇、二、二〇 午後二時

定時電話　　連絡者 岡崎

（鈴木文書課長）

一、中国ハ今般全面的ニ船材棒ノ船材ヲ禁止セルヲ以テ本件ハ不可能トナレリ

二、（古屋）例外的許可ノ便宜出来ザルヤ

（鈴木）右ノ事情有リ困難ナリ

三、（鈴木）未製船材棒ヲ交渉セラレ度

四、（鈴木）予算ハアルカ

（古屋）ソコデ何トカ方法ヲ考ヘテクレ

昭二〇、一一、二二発電

局長林書記発

鈴木文書課長宛

長官帰台ノ件ハ昨廿一日ノ電話ニ依リ中国ノ全面的飛行禁止ニ依リ出迎ヘ飛行ノ不能ナルヲ知リタルヲ以テ本二十二日別途ノ帰台方請依頼ノ為「マ」司令部ニ出頭シタルニ「マ」司令部ニテハ「廿一日到着ノ廿日附上海米軍司令部ヨリノ電報ニ依レバ台湾ノ行政長官ノ四名ノ帰台ヲ拒否セズトアルヲ以テ本件問題トナラズ」ト言ハレタリ右電報ハ不可解ニシテ上海米軍ノ何等カノ誤リト思料セラルルヽヲ以テ右ガ誤リナルコト即チ台湾行政長官ハ依然四名ノ帰台ヲ拒否セルモノナルコトヲ「マ」司令部ニ通ズルノ途ヲ講ズルコトニ万全ノ努力ヲ請フ

送　閲

臺灣總督府東京經濟事務所

昭二〇、一一、二三午後二時卅分

宮内通訳ノ一部　　　　速記者（鈴木文書課長／高安秘書官）

一、長官ノ歸台ノ件ハ陳儀行政長官ヨリ更ニ改メテ一時ノ歸台ヲ要求スル筈何等カノ方法ヲ講ゼラルヽ様切望ス（前電報文挿入ノコト）

二、（か）明日ノ宮内通訳ニ外事部長ニ出テ貰ヒ度シ　長官通訳ス

一、一時帰台ノ件ハ政治的折衝ヲナス

二、明日ノ宮内通訳ニ外事部長ヲ出ス

昭二〇、一一、二四受領（十八日附信）

鈴木文書課長発

今村書記官宛

長官帰台飛行ノ件ニ関シ当方ニ於ケル重慶ヨリノ飛行許可未着ノ
為明二〇日出発ハ絶対不可能ナリ　前回十月初メノ飛行ノ際ニハ
許可等ノ手続極メテ迅速ナリシモ接収後今日ニ至リテハ諸般
ノ事情ニ依リ手続ノ進行ニ困難ヲ来シアルモノノ如シ　更ニ今回ハ
台北、福岡間ノ計画ニテ許可ヲ請ヒタル處當局ニ依リ廣島経
由厚木着ニ計画ヲ変更シ昨十七日中国空軍ヨリ更ニ計画変
更ヲ重慶宛照会シツツアルヲ以テ許可アル迄ニハ尚数日ヲ要
スルモノト存ズ　仮ニ二十五日頃飛行許可アリタル場合ニモ飛行ノ
三日前ニ飛行計画ヲ陸軍当局ヲ経テ米国側ニ通知スルヲ要スルヲ
以テ出発ハ二十八日頃トナル筈ナリ　電話ニテ御承知ノ如ク二十

台湾総督府東京経済事務所

二十一日ノ予定通リ実行セザレバフマレ司令部ノ許可ハ取消トナル
モノトスレバ当方ノ飛行計画ハ確定シタル上ニテ周家定殿ニ
照会方ヨリ願フノ外ナシト存ズ
以上台湾軍経理部航空課トモ協議ノ上

昭二〇、一一、二四発（往）

鈴木文書課長ヨリ発信

富家秘書官宛

貴官一行帰台飛行ノ件ハ中国最近ノ情勢ニ基キ昨二十日中国陸軍ニ於テハ一般ニ飛行停止命令発令セラレタル関係ニ依リ先般来重慶ニ許可申請中ノ貴官出迎ヘノ飛行モ当分許可セラレサル見込ナル旨台湾進駐ノ中国陸軍司令部ヨリ本日台湾軍ヘ通牒アリタリ 誠ニ残念ナガラ斯ル情勢ノ変化ニテ已ムノ外ナキモノト被存候 若シ当地ニ於テ「マ」司令部ヨリ飛行機其ノ他ノ斡旋ヲ願フ余地アラハ御考究願上ク

臺灣總督府東京經濟事務所

昭二〇、一一、二四発電

成田総務長官発

台湾経済事務所
宇屋連絡部長宛

小生帰台ノ件本日電話セル如キ事情下ニアリ 是非共帰台実現致シ度ク御尽力方重ネテ御願ス

昭二〇、一二、二八、発電

成田総務長官発

安藤総督宛

総務長官ノ引揚ノ件交渉経緯報告ス

小官帰任ニ関スル御高配深謝申上グ帰任未ダ実現ノ運ビニ至ラズ焦慮ニ堪ヘズ今日ニ至ル迄ノ情況ハ随時本府ニ連絡シタル処ナルモ一応経緯ノ概略御報告申上ゲ更ニ帰任実現ニ関シ重ネテ御尽力願上グ

一、九月二十日着京、帰台飛行機ノ許可願提出シニ二十六日「マ」司令部ヨリ発表ノ内外地来往禁止指令アリ更ニ中国側ヨリハ「マ」司令部ニ対シ中国政府ノ特ニ要求スル人物ノ外ハ渡台禁止セラルル旨ノ意思表示アリタリ

二、依テ九月二十八日以来外務当局及本府ニ対シ屡々中国側ノ帰台要求

(日本標準規格 B5)

手配方御依頼申上ゲタル次第ナル處十月二十二日ニ至リ中國ヨリ「マレ」司令部ニ申入レシタル旨陸軍當局及本府ヨリノ通報ニ接シタルモ右申入ハ十一月八日ニ至リテ漸ク「マレ」司令部ニ到達セリ

三、其ノ搭船送方法ニ付キ米國側ト中國側トノ連絡帰ニ着カザリシ處、本府ヨリ福岡迄ノ出迎船舶待機準備成リタル旨ノ通報ニ接シタルヲ以テ十一月十四日附ニテ十八、九ノ二日ニテ福岡往復ノ日程ニ依リ許可申請ヲ為シ同時ニ本府ニ其ノ旨連絡シタル處「マレ」司令部ニテハ十八、九日ノ両日ニテ船舶ハ廣東丸ヲ使用スルコトトシテ許可スル旨ノ内示アリ此ノ旨本府ニ通報セル處十八、九日ニテハ準備間ニ合ハズ、目下二十、二十一ノ両日ニテ許可申請中ナル旨ノ通報ニ接セリ

四、依テ「マレ」司令部ニ対シテハ日程ヲ二十、二十一ノ両日ニ変更方願出ヅ此ノ旨昨十七日本府ニ連絡シ併セテ本日程ニヨリ渡航方依頼ス

五、十月十九日「マレ」司令部ヨリ不足燃料ノ補給、乗務員ノ宿舎及食事ノ準備等整ヒタル旨ヲ以テ許可指令アリ　陸軍当局ト連絡シタルニ修理ニ通報猶ナルヲ以テ飛行機ハ目違ヒナク出発シ来ルベシトノ返アリ

六、十月二十日雅本府ヨリノ電訓ニテ中国ノ許可間ニ合ハズ　出発不可能ノ旨知ラタルモ午後カラニテモ出発準備方整理シタル處午後ニ至リ更ニ本府ヨリノ電訓ニテ中国ノ全面的飛行禁止令ニヨリ出迎ヘ飛行当分不可能ナル旨ノ通報ニ接セリ

七、右通報ニヨリ「マレ」司令部ニ出頭シ他ノ帰台方法ヲ依頼セントシタルニ先方ヨリ二十日附上海東京ヨリノ電報ニヨレバ台湾ノ改造故ハ一切回答ノ帰台ヲ認メズトアルヲ以テ本件ハ問題トナラズトノ言渡シヲ受ケタリ

八、右言渡シノ上海電報ハ不可解千万ナルモ当方ニ反論ヲ挙グル方法ナク今ヤ特別ノ御配慮ニ依ラ本問題ヲ打開スルノ外ナキ実情ニ有之ニ付テハ右ノ事情御諒察ノ上特ニ可然御取計方宜敷懇願申上グ

九、

尚十月七日福州通事ニ就キ情ヲ聞クニ於テハ廟議ノ如ク反逆ノ由外地来往禁止アルノミナラズ清國ノ帰路要求留ニ合ハザリシ者許可ニ至ラズ證類ヲ揃ヘラレタルモノナルニ付御請求ノ筈ナリ（尚諸外務省ヨリ協議ニ及ハ未許可ニテ照覧ニ従ヒ御申出アラレタシ）

臺灣總督府

（日本標準規格 B5）

タイプライター用紙半截

昭二〇、一一、二八

定時通話

発信者　台湾総督府 鈴木文書課長

一、長官帰台ノ件（小鈴木）

1、陳儀ガ長官一行ノ帰台ヲ拒セズトノ件調査スルニ、左ノ通ナリ

最初ニ在台米軍将校ガ陳儀ニ対シ「今日ニ至リテモ尚長官一行ノ帰台ヲ要スルヤ」ト質問シタルトキ陳儀ハ「勝敗ノ決シタル今日ニ至リテハ其ノ必要ナシ」ト答ヘタルコトニ発端シタルモノナルコト判明セリ

2、葛敬恩ハ本件ニ関シ左ノ経緯アルヲ以テ今更帰台ヲ再要求スルコトハ能ハズト云ヒ居レリ

3、当面問題ハ

(イ) 今日ニ至リテハ再要求セシムルコトハ困難ナルベシ

(ロ) 東京ニテハ議会モ開カレ、日米関係ノ重要事務モアルヲ以テ長官

(ハ) 当分東京ニ在リテ占領事務ノ処理ニ当ルコトニ願ヒ度

六、本件ニ関シ台湾側ニ於テ熱意ナカリシカ如ク思ハレ、ヤヤ縺レカケルモ出来ルダケノコトハ一生懸命ニ努メタルモノナリ　誤解ナキ様諒承乞フ

5. 今直ケニハ本件提出シ不可能ナルモ適当ノ時期ニ更ニ周旋ヲ乞ヒタシ
（其案ニハ何レトカ工夫出来ルナラバ別ナルモ）

臺灣總督府

タイプライター用紙半截

（日本標準規格 B5）

昭一〇、二、二九発電

成田總務長官

安藤總督宛

昨二八日ノ電話ニ依リ小坂等ノ帰台ハ一應不可能トナリタル趣諒解セリ
顧ルニ九月下旬当局関係者ノ御許可ヲ得テ上京シタルニ突如旅行ノ禁止
ニ遭ヒ其ノ後今日ニ至ル二ケ月間閣下格別ノ御配慮ノ下微力ヲ尽シ漸ク実
現ノ運ビニ至リタルニ遽カニ此ノ悲報ニ接シ小坂等痛嘆為ス所ヲ知ラズ
此ノ旨ニ於ケル閣下ノ御尽力ニ対シ衷心ヨリ御礼申上グルト共ニ極メテ多事
ナル此ノ時期ニ於テ任地ヲ离レ職務ヲ完ウシ得ザリシ事ヲ謹ンデ御詫ビ
申上ゲ尚今後引続キ其家ニテ職責ヲ尽サンコトハ慚愧ニ堪エザルトコロ
ニ有之茲ニ小坂ノ進退ヲ伺ヒ奉ル

臺灣總督府

タイプライター用紙半截

（日本標準規格 B5）

昭二〇・一〇・三〇発

台灣地區連絡代理副部長　鎌田一二三発

台灣地區日本官兵連絡部副部長　成田一郎宛

貴発第一号帰台ノ件ニ関シ二十三日附葛秘書長名ノ復報中台灣ノ行政長官ハ四人ノ帰台ヲ欲セズトアル處直チニ當處外事部長連絡調査セラレタル處葛秘書長ハ張参議ヲ通シ左ノ如ク説明セラレタリ　数日前一米國人ノ陳儀長官ニ面接シ「成田元長官一行ノ帰台ガ中國及「マ」司令部ニ於テ採上ゲラレタルハ嘗台灣ノ行政長官トシテハ接收ノ現段階ニ於テ之成田元長官ノ帰台ヲ必要トセラルルヤ」トノ質問アリ　陳儀長官ハ「接收ノ進行シタル最近ニ於テハ接收開始当初ニ比シ必要性ハ薄ラギタリ」ト答ヘラレタル由而シテ葛秘書長トシテハ「若シ日本側トシテ成田元長官ノ帰台ヲ必要トスル理由アラバ本案ニ於テ「マ」司令部ト直接交渉セラレ度シ」トノ附言アリタリ　當方モ二ケ月餘ニ亘ル単独共同ノ努力ニモ不拘問題ノ根本

ニ変化ヲ来シタル次第ニテ一同深ク心痛シ居レリ 当方トシテハ尚引続キ御帰
任実現シテ在台同人及民ノ将来ニ付御尽力ヲ願フコトノ可能トナル様努力
ヲ継続致ス事望ナリ 而シテ御当局ノ御意嚮トシテハ此ノ際急速帰任実
現ヲ計ルコトハ頗ル困難ナルト共ニ識者モ関係セラレ且又今般ノ本件及
在台同人ノ為ニ中央ニ於テ具体的ニ施策ヲ必要トスル時期トモナリタルニ
トナレルニ付暫ク滞京シテ其ノ方面ニ極力御活動ヲ希望シ居ラレ局部長一
同モ全ク同意見ナリ 而シテ適当ノ時期ヲ見テ在台同人及民ノ最後ノ取
纏ナノ為是非共御帰台ヲ必要トスル旨ノ建議ヲ提出シテ海、陸、拓ノ
方法ニテ帰台出来得ル様中国側ノ斡旋ヲ得ル様努力スル事望ナリ
御含ミ願上ゲ

臺灣總督府

タイプライター用紙半截

（日本標準規格 B5）

昭二〇、十二、四、電案、発

台湾地区
日本官兵善後連絡部
須田副部長代理宛

成田副部長発

貴電拝承」小官帰任ノ件貴地ニ於ケル軍官ノ御努力ト相俟チ二ケ月ニ亘リ微力ヲ盡シテ将ニ実現ヲ見ントスル日ニ至リ一応不可能トナリタルハ洵ニ痛嘆ノ極ミナリ此ノ間ニ於ケル貴官ノ御努力ニ対シ茲ニ深甚ナル謝意ヲ表スルト共ニ併セテ更ニ機会アル毎ニ一日モ速カニ実現ヲ見ル様御盡力ノ程切願ス」此ノ極メテ重要ナル時期ニ於テ小官不在ナルコトハ洵ニ心苦シキ次第ナルモ貴電及文書課長ヨリノ電話ニ依レバ総督ノ御意向トシテモ暫ク滞京シテ中央トノ折衝ニ努力セシメラルヘ趣御懇情ニ依リ在京中全力ヲ挙ゲテ御期待ニ副ヒ度キヲ以テ留守中宜シク御盡力ノ程願上グ」各部局長各位ヘモ宜シク御傳ヘ請フ

臺灣總督府東京出張所

昭二〇、十二、四、電案、發、

日本官兵善後連絡部気付　成田副部長發

諫山　閣下

小官ノ歸任將ニ実現ヲ見ントシテ遂ニ不可能トナリタルハ洵ニ痛嘆ニ堪ヘズ

本件ニ関スル二ヶ月ニ亙ル絶大ナル御盡力ニ対シ茲ニ深謝スルト共ニ更ニ今后共

一日モ速カニ帰台ノ実現ヲ見ル様御配慮ノ程衷心ヨリ御願ヒ申上グ

昭二〇、十二、八、案九發

成田連絡副部長發

安藤台湾地区連絡部長宛

電案

別電ノ如ク聯合軍司令部ニテハ近ク内台間ノ輸送許可ヲ開始スル方針ニシテ小官一行モ右船舶利用ノ許可ヲ得タク存ズルモ小官一行ノ帰台ニ関シテハ屡々通報シタル通リ特ニ中国側ノ意思表示必要トスルヲ以テ之ガ表示方特ニ御盡力請フ」

昭二〇、十二、十、

台北定時通話（別掲中ヨリ抽出）

連絡者（西林文教局長 鈴木文書課長）

長官帰台ノ件 相当困難ナリ」

昭二〇、十二、十三、

台北電話連絡事項（別掲中ヨリ抽出）

連絡者（鈴木文書課長 萩原総務官）

台湾軍参謀長ヨリ成田長官（伝言）帰台ノ件ニ付盡力方依頼電報頂キ折角努力セルモ諸般ノ情勢上帰台ノ見込薄トナリタルニ付遺憾乍ラ右ノ旨長官ニ御傳ヘ請フ」

自昭和二十年九月二十日

至

總務長官在京中往復文書寫綴

臺灣總督府東京出張所

二〇、九、二六受

財務局長

成田長官宛

産業資金融資ノ件

台拓、台電ニ対スル融資ニ関シテハ其ノ後台銀ト折衝ヲ重ネタルモ台銀ノ態度依然トシテ極メテ消極的ナルヲ以テ最善ノ方法トハ存セザルモ取敢ヘズ台拓、台電石炭会社ニ対スル社債発行ノ前借金ノ借換分トシテ台拓一六、五〇〇千円 台電一八五〇〇千円 石炭四〇〇〇千円 計四千万円 第三四半期ニ於テ政府保證社債発行方大蔵省金融局長宛打電セリ

然シテ右以外ノ新資金並ニ右以外ノ会社ニ対スル今後ノ融資ニ関シテハ方途無キヲ以テ一応大蔵省ニ対シ

内務省

之等ニ對シテハ強制融資ヲ命令ス依頼ニ軍ヨリ出アリ

右御含ミノ上善処方高級將校ニ御注意願ヒ度

規格 B4

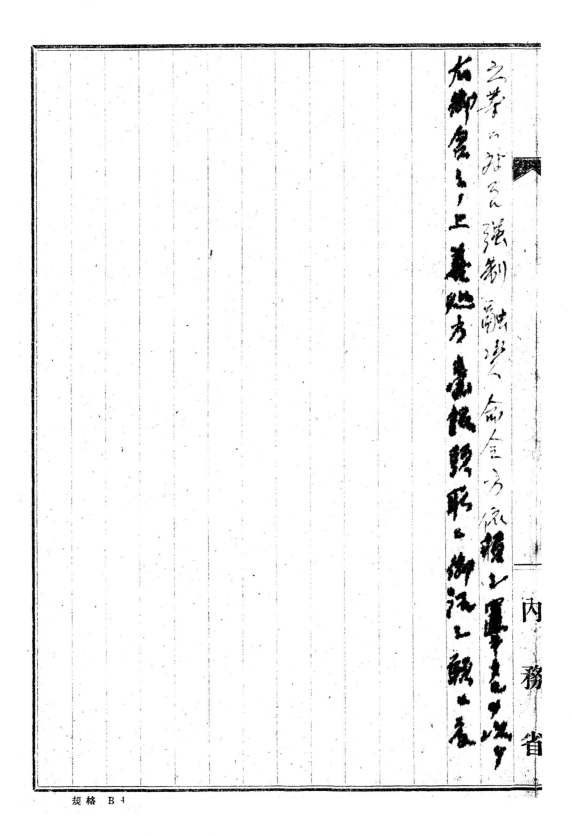

二〇、九、二八

總務長官

財務局長宛

産業資金融資ノ件ニ付大藏省ノ方針ハ臺銀ヲシテ戰時金融金庫ノ代理貸ヲ爲サシムルコトトナリ既ニ同省ヨリ臺銀ニハ下命濟ナリ

（写）

曾禰秘書官
鈴木文書課長

昭二〇、九、二八　定時通話

Lieutenant (j.g.) Gordon W. Bell,
Torpedo Squadron No. 11
Identification No. 240670
Serial No. T-37-43.

右ノ者ノ搭乗セル飛行機ハ一九四五年一月九日台湾南東海岸ニ於テ撃墜セラレ僚機ハ右飛行機ノ周囲ヲ旋回シ彼及他ノ砲手ノ一名ト共ニ海岸ヲ一哩乃至一哩半ヲ隔レル海岸ヲイカダニ乗リ居ル（彼ハ「オーライ」ト信号セリ）ヲ認メタリ
当地海岸ニ向テ強イ風吹キ居リタリ
陸ノ部隊同僚ハ何レモ彼等カ海岸ニ吹寄セラレタルコトヲ確信シ居レリ
右以外ノ情報無シ

写

昭二〇、一〇、一

安藤總督　長官

台灣銀行等ノ閉鎖ニ關スル聯合国最高司令部ノ指令ニ付本一日津島大藏大臣、内務省等ニ陳寫シタル処

一、今回ノ指令ハ日本内地所在ノ支店ニ關スルモノニシテ外地ニ在ル本店ハ除外セラル

二、内地所在支店ノ預金引出ニ付テハ大藏省ハ外務省ヲ通シ聯合国側ニ諒解取付中ニシテ諒解成立ノ上發表ノ予定ナルモ未ダ判明セス

尚本店ニ対スル措置ハ重慶政府之ニ当ルモノト思料セラル

右御含ノ上可然御処置ヲ願上ク

(写)

昭二〇、一〇、一

総務長官

安藤総督宛

小官去ル二十日上京以来今日迄天機並ニ御機嫌奉伺ニ畏ミ東久邇首相宮殿下ニ拝謁ヲ差許サレ尚内閣ヲ始メ宮内、内務、外務、大蔵、文部、海軍、運輸、厚生ノ各省大臣以下ヲ歴訪シ台湾ノ現状ニ付キ報告ヲ為シ其ノ特殊事情ノ諒解ヲ求ムルト共ニ各般ノ要望事項ニ就キ意見ヲ開陳セリ

尚台湾関係事業会社ノ代表者トモ懇談ヲ遂ゲタリ

小官廿六日帰任予定ナリシ所延期セシタメ一應電報御報告ス詳細ハ帰任後ニ譲リタキニ付御諒承乞フ

昭二〇、一〇、一

須田長官代理宛

総務長官

帰任遅延シ焦慮シアリ　内地ニテハ外地ニ対シ考慮ヲ払フノ余裕ナキ現状ニ鑑ミ現地ニ於テ官民協力能フ限リ速カニ各般ノ事態ニ関シ相手方ノ諒解ヲ得ル様努力セラルルノ要アリ

右総督閣下ニモ御伝ヘノ上可然御措置ヲ乞フ

（写）

昭二〇、一〇、一、

総務長官

小管交通局総長宛

南日本汽船会社ニ付テハ諸般ノ事情ヲ考察スルニ現地ニ於テ適宜処理スルコトトシ内地ニ於テ論議スルコトハ不得策ト存セラルルニ付関係会社トノ打合協議等ハ差控フルコトニ致度ニ付御含置アリ度

又顧問ノ件ハ時日遷延セハ実現困難トナル虞ナキニ非サルヲ以テ促進セラルル様致度

尚第二南西丸ニ付テハ目下各方面ト打合調査中ナリ

（写）

昭二〇・九・十九

古谷理事官　　　　秘書官

情勢ニヨリ機密費引出シ置カレ度シ小切手帳ハ自宅ニ
保管中ナリシ

昭二〇・一〇・一日

財務局長宛　　　　總務長官

當地ノ情勢ニヨリ經伺ノ上半年分及全年分未賞與
ニ勤續手當支給アリタシ

昭二〇、一〇、二、

総務長官

総務長官代理発

一、新聞紙ノ報スル処ニ依レハ重慶政府ハ九月三十日日本人銀行ノ閉鎖ヲ指令シタリトノコトナルカ台銀本店其他島内銀行ニ何等カノ措置アリシヤ」

二、内地台銀支店ノ閉鎖発表ノ為島内ニ混乱ナカリシヤ右ニ関シテハ特ニ発言ヲ控ヘ、財務両局連絡ノ上善処セシメラレ度」

三、重慶側軍隊並ニ陳儀長官以下ノ来島進駐ハ何日頃トナル見込ナリヤ」陳儀長官一行ハ既ニ福州ニ乗込ミ居ラルルヤ」

右至急返電相成度」

昭二〇、一〇、三、

総務長官

交通局総長発

郵便貯金ノ件」内外地間ノ送金困難トナル情勢ニ鑑ミ今後ノ預ケ入レヲ停止スルヲ安全ナリト思料セラルルヲ以テ処置アリ度」

昭二〇、一〇、三、

総務長官

安藤台湾総督宛

一、内地ニ於ケル台銀支店ノ閉鎖ニ因リ内台間ノ送金ハ當分ノ間不可能トナリタルコトニ台銀本店ニ対シテ同様ノ措置カ行ハルヘキコトカ予想セラルルヲ以テ此ノ際之ニ處スル方策ニ付対策ヲ講セラルル様當方ニテ協力中ナリ

二、台湾ニ対スル配船ノ問題ニ関シテハ上京以来関係各省ニ対シテ努力ヲ重ネタルモ遂ニ十月分ノ配船計画ヨリ除外セラレタルハ誠ニ申訳ナシ今後トモ一層努力ヲ致スヘキモ尚南日本汽船会社所属第二南西丸ハ目下内地朝鮮間ニ就航シ居ルヲ以テ之カ廻送方ニ付テモ奔走中

三、小官帰台ニ付テハ先月二十六日マッカーサー司令部ニ於テ軍人及官吏カ内地外地間ヲ旅行スルコトヲ全般的ニ禁止シタルコト並ニ重慶政府カ積極的ニ帰台ヲ希望スル意思表示ヲ為サザル為未タ許可ヲ得ルニ至ラス当方ニテモ外務省ヲ通シ重ネテ重慶側ニ諒解ヲ求メツツアルヲ以テ閣下ニ於カレテモ之カ実現ヲ見ル様格別ノ御配意ヲ御願申上ク

写

昭二〇、一〇、四

台湾総督宛　　　　総務長官

一、台湾政府ヲ総督府ヨリ接収スヘキ申入アリタル場合平穏裡ニ之ニ応諾処理スルコトニ付テハ首相ノ言ヲ始メ来リ内務、外務両大臣ノ諒承ヲ得タリ

二、総督府カ接収セラレタル場合其ノ整理及在留内地人ノ保護ヲ期スル為ニハ特別ノ機関ヲ設クルコトトシ今ヨリ之カ研究準備ヲ為ス要アリト存ス

三、今回ノ外地銀行等ノ閉鎖ニ徴スルモ聯合国側カ日本トハ内地ノミヲ指シ外地ヲ含マサルモノトシテ取扱ノ意図ナルコト明白ナリ

昭二〇、一〇、四

須田農商局長宛　　　　総務長官

当地ニ於ケル糖業者ノ意見ハ台湾ニ於ケル砂糖ノ公定価格カ低キニ過クルコトニ付一致セルモ如何ナル程度ニ引上クルカ又ハ自由販売トスルカニ付テハ必シモ一致セス　コノ場合適当ナル引上ケ又ハ協定価格ヲ定メ其ノ実施ニ在テ可能ナル限リ在留内地人ノ援護等ノ為或ル程度ノ寄附ヲ為サシムルカ適切ナリト認メラルルニ付可然」

一〇月五日　臺北ヨリ電話連絡

一、臺灣接收前進指揮所員二十名（米國軍人五人ヲ含ム）ハ本五日早朝重慶發午後三時又ハ四時頃臺北着ノ予定　本府ハ之ニ對スル準備中ナリ

支那側委員ハ南方資料館ニ、米國委員ハマカイ病院事務室ヲ事務室ニ充ツ

一、本府終戰事務局ハ九月二十日發足以來連日又ハ隔日ニ總務會議ヲ開キ鑛工商關係、農商局關係、ノ基本問題、邦人ノ生活援護特殊技人ニ對スル措置、科學技術保存等ノ諸問題ヲ討議決定セリ

昭二〇、一〇、六

台湾總督宛　　　　總務長官

一、東久邇宮内閣總辭職ニ付後継内閣組閣ノ大命ハ六日午前一時幣原男ニ降下セリ

二、川崎帰任ニ関スル御電報ニ対シテハ深謝ニ堪ヘズ関係当局ト緊密ナル連絡ノ下ニ工作中ナルカ更ニ米軍司令部ニ対シ直接諒解ヲ求メツツアリ」

昭二〇、一〇、六

警務局長宛　　　　劃保安課長

毎日新聞ニヨレバ島内治安漸次悪化セルヤノ記事アリ　長官心配シアリ最近ノ治安概要至急返電アリ度」

臺灣總督府東京出張所

昭二〇、一〇、六

電話連絡事項

連絡者 鈴木文書課長
翁秘書官

一、鈴木ヨリ

(イ) 外交権停止ノコトヲ在台米将校語リツツアリ 詳細オ知ラセ乞フ

(ロ) 総督府廃止ニ関シ右記ノ実現知ラレ度シ（関係方面ト打衝ノ上）

(ハ) 廃庁時期

(ニ) 廃庁ノ際別箇ノ機関ヲ作ルヤ 其ノ名称・外交権停止トノ関係

(ホ) 右ノ場合ノ予算ヲ如何ニスルヤ

二、翁ヨリ

台湾人ノ在内地人口ハ台湾ノ資料ニテ判明スルナラバ速ヤカニオ知ラセアリタシ

二〇、一〇、六收

文書課長

成田長官宛

電報譯文

台湾軍ヨリノ情報ニ依レバ一〇月七日中国側接收員先
発約二〇人（米国軍人五、六人ヲ含ム）来台スル予定ナル事
略確実トノ事ナリ、当方之ガ接遇ニ付テハ台湾軍及
外事部ニ於テ夫々準備中ナルモ更ニ今後当然開始
セラルベキ中国側ト本府トノ直接交渉ニ付テモ終戦
事務局ヲ中心ニ種々考究中ナリ、付テハ御滞京中
関係各省トノ接衝ニ基キ判明セル中央ノ方針其
ノ他閣下御気付キノ点ニシテ当方ニ於テ相手方ト
ノ交渉上必要ナル点アラバ至急電報ニテ御

指示アリタル中止シ、尚中国側進駐軍ノ一部ハ

一〇月一五日以降進駐ストノ情報アリ申添フ」

昭二〇、一〇、八収

総務長官宛　　　　長官代理

電報訳文

台湾在勤ノ日本官吏ハ官制廃止ニ至ル迄ハ其ノ身分ヲ失ハス且接収後ニ於テモ退官ノ発令ナキ限リ日本政府（一般会計）ヨリ俸給等ノ支弁ヲ受クヘキモノト存スルモ中央政府ノ意向至急返電アリ度シ

尚接収後ニ於ケル右俸給事務費等ニ関スル予算

ハ一般会計負担トシテ如何トモ明示ノ趣旨ハ補成要アリト思料セラルヽカ之カ具体的処理手続ヲ付御指示相成度」

二〇、一〇、八

出張受信事項

發

府、秘書官宛

一、中央前進指揮所葛敬恩一行到着シ一昨日（六日）備忘録第一號及第二號ノ交附ヲ受ケタリ、台湾總督ハ陳儀ノ命令ニヨリ従来通リノ行政ヲ行フ責任アル旨、種々ノ調査ヲ十日以内ニ提出方要求シ居ル旨、其ノ他一行ノ食物費用ヲ支出スル責任（三千萬円支払ニ用意シ六百萬円ヲ支払ニ引揚スベシノ如キ内容）等ガ右ノ内容ナリ、

二、陳儀ハ目下重慶ニ在リ、従テ接収ハ未定ナルモ

臺灣總督府東京出張所

着手セル一行ノ予定ニテハ今月末頃ナラント称シ居レリ。

三、此経路ハ本月十五日以後陸続トシテ来京スル予定ト称シ居レリ、

尚不確実ナルモ彼等ノ称スル処ニ依レバ旅費二千、雑費等二千ヲ含ムモノノ如シ

四、其[illegible]銀行ハ中国側ノ某銀行ヲ当分使用スル方針ナルニ依リ極メテ平静ナリ

尚其ノ他ノ機関モ当分従来ノ儘ナル方針ナルニ依リ経済的動揺些カモ無シ

五、本件ニ付キテハ別途速報セリ

以上

臺灣總督府東京出張所

（日本標準規格 B.4） 東・東 1137

二〇、一〇、九

情報通信事務

鈴木文書課長殿

首相秘書殿受

一、中支側行政機関二〇〇名近日着京ノ予定ナリ。

二、交附ノ要旨ナル指令ハ　名軍字中何号

ノ如キ名称ナリ　名政字中何号

（電報ニアリタル　グンジセイジノ字句ニ付秘書官ヨリ

照会セラレタルニ対スル　回答）

写　受理局長ニ送付セズ　（島田）

臺灣總督府東京出張所

二〇一〇九收

農商局長、

民部殖産局長ヘ返付 （局長印）

總務長官宛

密電報訳文

本月付御照會ニ係ル諸点返答

一、島内銀行ニ対スル中央側ノ方針ハ昨夜南附近指揮処分方法ニ付テ一字一句モ備忘録ニ依リ知リ得ル周辺ニシテ書面ノ現状維持ノ状況テアリ。

二、各銀行地方支店閉鎖ノ後處置ノ為ニ於テ注意ヲ拂ヒ居ルモ地ノ三ノ措置ナルヘキコトノ消息ヲ五日未宛セル整備完了見合シ部ノ銀行ハ集安表（エン）ヲ将慶ノ一手ニ集メシ残ラシ居レリ

五、前進ノ田辺葛秘書長カ重慶ヨリ歸任セルニ共ヨリ観テ陳儀長官ハ重慶ニアルモノト推定セラル

（日本標準規格 B.4）　東・東 1137

昭二〇、一〇、一二

電話連絡事項

連絡者　北岡事務官
　　　　川村事務官

一、来ル十月十四日中國大型船八隻、小型船五〇隻基隆着ノ予定ニテ之ニ依リ到着スル者中国軍隊約三〇〇〇名、アトヨリ軍人約一五〇〇名及中國行政官吏二一二名等ナリ。仍而農ニ電報セシ人員ト併セ中國行政官吏ハ三〇〇名ヲ以テ行政長官公署ノ活動ヲ開始スルコトヽナル

二、陳儀長官ハ来ル二十日頃着台ノ予定ナリ

昭二〇、一〇、一三発

総務長官宛

農商局長宛

終戦前実施シタル人事異動ハ近ク正式発令アル場合ニ付中國側ニ対シ誤解ナキ様予メ了解ヲ得置カレ度右了解ノ上ハ至急返乞フ

昭二〇、一〇、一六、受

受 北京事務官　　発 河村事務官

電話連絡事項

一、本五日基隆上陸予定ノ中国軍隊ハ一、二〇〇〇名ナリ而シテ其ノ内四〇〇〇名ハ基隆地区ニ八〇〇〇名ハ台北地区ニ配置セラルヽ予定ニシテ之ガ受入準備ハ台湾軍ニ於テ実施中ナリ（先日ノ連絡ニテ十四日上陸予定ノ軍隊三〇〇〇名トアリシ事項上記ノ通リ変更アリタルモノナリ）

二、右ト同時ニ上陸スベキ行政官ハ黒表ニ連絡セル通リ（二一名）ナリ

昭二〇、一〇、一六

電話連絡事項

連絡者 文書課長 出張所長

一、本月十五日上陸予定ノ中国側軍隊及行政官一行ハ天候ノ関係上十八日上陸ノ予定トナル

二、右中国人ノ進駐ニ就テハ台北周辺ノ日本軍ハ中南部ニ移動シツヽアリ

臺灣總督府東京出張所

三、前進指揮処ニ於テハ九日到着予定ノ各処長其他ノ宿舎ハ自動車等ノ用意ヲ為シアリ本府部局長ハ各官舎ヲ明渡スベク他ニ移動中ナリ

四、葛敬恩氏ハ病気引籠リ中ニシテ之ガ為本府トノ連絡ニ十分ナラザル点アリ

五、長官一行帰任ノ件ニ付キテハ参謀長ヨリ中国側ニ申入ヲ為シ居ルモ未ダ回答ナキトノ事ナレバ更ニ要求ヲ促進スベシ

供閲

電報譯文

二〇、一〇、一五受

吉積兵務局長発

成田総務長官宛

其ノ後ノ治安状況ハ不祥事件續發シ居ルモ大局的ニ見テ憂慮スベキ事態ヲ見ス御安心ヲ乞フ

臺灣總督府東京出張所

臺灣總督府東京出張所

電報案

財務局長宛

長官名

「地方銀行頭取ハ本島人トスルコト但シ人選ニ付テハ帰台ノ上決定スルコト、右台銀頭取ノ諒解ヲ得タリ　尚頭取ハ本官ト同時ニ帰台ノ予定

（日本標準規格 B.4）　東・東 1137

3

昭和二〇、一〇、一六

長官名

総督宛

内台間ノ通信連絡及内地人引揚ノ為最少限度ノ船舶ノ配当ニ関シテハ関係各省ニ対シ実現方努力中ナル處之カ為ニハ中国政府ノ諒解乃至要望ヲ必要トスルニ付可然御取計ヲ乞フ尚定期航空路ノ開設ハ更ニ困難ト認メラル

〇

総務長官名

総督名

内台間ノ通信連絡及内地人引揚ノ為最少限度ノ

臺灣總督府東京出張所

臺灣總督府東京出張所

船舶ノ配当ニ関シテハ関係各省ニ対シ実現方努力中ナル処之ガ為ニハ中央政府ノ了解乃至要望ヲ必要トスルニ付可然御取計ヲ乞フ尚定期航空路ノ開設ハ更ニ困難ト認メラル

（日本標準規格 B.4） 東・東 1137

二〇、一〇、一六

総務長官宛

農商局長

葛秘書長以下前進指揮処一行着台ノ件昨五日午后六時葛秘書長以下憲兵ソニネジエン造ヲ加ヘ一一五名着台ノ人員予想以上ナリシモ暫定的ニ南方資料館其ノ他ニ全部投宿セリ、着台后直ニ十月六日付前進指揮処去任葛敬恩名ノ通告〔政字第一号〕ヲ手交シ協力方ヲ要求セラレタルヲ概ネ左ノ如シ

一、陳儀上将着任前ニ於テハ一切ノ行政司法事務ハ従来ノ如ク総督府以下現有機関ニヨリ現状ヲ維持継続セシム指揮処ニ依リ指示セラルヘキ事項ハ本府ヲシテ轉達セシメ指揮処自ラ之ヲ樹立ス

（日本標準規格 B.4） 東・東 1137

二、台湾銀行業務ハ引続キ流通ヲ認許ス
三、交通運輸通信其ノ他一切ノ公用事業ハ継続進行スベク停滞ヲ許サズ
四、各種学校ハ安心シテ経営ヲ継続スベク教材中ニ中国ノ興廃及教育精神ニ抵触スルモノアレバ速カニ削除スベシ
五、指揮所ハ民意上達ノ為地方民ノ陳情状、地方情況ニ関スル報告書ヲ接受ス
六、指揮所ノ執務時間及接見時間（省略）
七、指揮所ハ公私ノ如何ヲ問ハズ饋贈ヲ接受セズ」尚本日（六日）午後四時總督官邸ニ於テ更ニ備忘録第一號ノ交付式ヲ挙行セラルヽ予定、参列者ハ陸海両参謀長及副長並ニ外事部長ヲ予定ニアリ
以上不取敢御報告ス　右内務大臣ニ御連絡願度　同今後ノ情勢ニ対テハ其ノ都度御通報申上グ　尚十月三日附貴信御趣旨拝承、関係方面ト連絡ヲ密ニシ御不在中極力遺憾ナキヲ期シツツアリ　し、

臺灣總督府東京出張所

4

電文

二〇、一〇、一八　受信

宛　総務長官

発　須田農商局長

前進指揮所進駐以後ノ情勢ノ概要左ニ御報
告申上グ
一、米国側顧問モンタグー大佐一行ハ進駐ト同時
ニ活発ナル調査ヲ開始シエバンス大佐ハ行政方
面ヲ担当シ財政金融ニ関シ本府関係課長ヨリ
詳細ナル説明ヲ聴取シ周到ナル調査ヲ進メツ
ツアリ
二、葛敬恩中将ハ着台以来発熱静養中ナリ
シモ二三日前快復執務ヲ開始セラレタル模様

臺灣總督府東京出張所

三、前進指揮処ハ旧總督官邸ヲ事務所トシ民政、教育、財政、農林、鉱工、交通、市政、新聞放送ノ九部門ノ接收事項ヲ委員ニ分レテ調査ヲ開始セラレタルガ当方トノ連絡ノ便宜ヲ考慮シ総務事務局連絡部トノ吻合ヲ得ル如倉皇ノ統一ヲ図ラレツツアリ

本府各部局ニ対スル詳細ナル質問ヲ提出セラレツツアリ

四、一五日着台予定ノ二百人ト併セテ約三〇〇人行政府長官公署ヲ構成スル筈ナルガ之ガ事務所トシテ当方ハ台北市役所、台北州庁、公会堂博物館等ノ内一ヲ推挙シツツアルモ今明日中ニ何レカニ決定ノ筈

五、十日付葛主任名ヲ以テ通貨整理ニ便ナラシムル目的ヲ以テ従来ノ台銀券ノ増発停止（特ニ増発ノ必要アル場合ニハ許可ヲ受クル余地アリ）台銀貸出ノ抑制公共機関ノ予算外支出ノ制限、官営事業ノ収支、専売品保管数量ノ通報ノ提出方通告アリ接収上当然ノ要求ト思料セラルルモ経済界ニ動揺ヲ来サシメザル如ク之ヲ実行スル為目下双方協議中ナリ

六、島内ニ於ル米穀ノ集荷配給ノ行詰リ状態ニ付テハ現在ノ行政執行能力ノ程度ヲ以テシテハ到底現状復帰困難ノ情勢ナルヲ以テ至急中国側ノ方針決定ヲ得ベク対策樹立ノ上十二日前進指揮所農林専門委員ニ連絡シタル

処之等委員ハ農林専門ノ技術者ニシテカカル政策
問題ハ陳儀長官及農林長ノ来台後ノ事トストノ
事ニシテ更ニ小官ヨリ陳セウナイ参謀ニ説明シタルモ
略同様ノ回答ニテ目下懸案中ナリ
七、前電備忘録政字第一号ニヨリ財産関係ノ現状
ヲ過渡期ニ於テ不当ニ変更セラルルヲ防止スル為公
公衆ニカカル不動産及ビ動産ノ売買、移轉及公社
債ノ停止ヲ通告シキタリタリモ右ハ台湾ノ商工業等
ノ経済運行ヲ停止セシメズトノ方針ト衝突スル部
面モアルヲ以テ停止ニ関スル妥当ナル限界ヲ把握ス
ル為指揮処ト連絡シツツアルモ相当困難ナル問題ア
リ当方トシテハ誠意ヲ以テ根拠法トシテ緊急律令
ヲ発シ之ニ基ク府令ヲ以テ通常ノ経済活動生活

臺灣總督府東京出張所

(日本標準規格 B.4) 東・東 1137

維持ヲ防害セル限度ニ於テ不動産及大量ノ動産ノ処分ヲ制限禁止スルノ措置ヲ執ル可ク手續進行中ナリ

八、十月十日双十節ハ中国ノ最モ慶祝スヘキ主祭日ナルヲ以テ全島官公衙、学校、銀行等休業シ祝意ヲ表セリ

律令

律令第七号

臺湾住者ハ中華民国臺湾省行政長官ノ発スル命令ニ係ル事項ヲ実施スル為特ニ必要アル場合ニ於テハ台湾総督府令ニ違反スル者ハ二年以下ノ懲役若ハ禁錮、五千円以下ノ罰金科料又ハ拘留ニ処ス

臺灣總督府東京出張所

附則

本令ハ公布ノ日ヨリ之ヲ施行ス

理由。

ポツダム宣言受諾ニ伴ヒ台湾ニ於ケル終戦事務処理ノ必要上制定ノ要アルニ因ル

昭二〇、一〇、一八

電話通話

連絡室　台北　文書課長
　　　　東京　安井次長

一、中國進駐軍ハ十七日夕方九〇〇〇人基隆上陸尚一両日中ニ第二次五〇〇〇人上陸ノ予定ニシテ以上ノ人員ハ台北一〇〇〇〇人、基隆三〇〇〇人、淡水一〇〇〇人宛駐屯ス
第三次及第四次進駐ハ第一、第二進駐軍ヲ輸送セル船舶ヲ以テ引続キ行ハルヽ予定

二、長官ノ帰任ノ件ハ葛敬恩ヲ通シ何將軍ニ交渉中ナルヲ以テ許可アリタルトキハ飛行機出迎ノ都合セアリ連絡セヨ　尚先般雁ノ第[illegible]出迎セル飛行機ハ帰着セリ

臺灣總督府東京出張所

昭二〇、一〇、二二

定時通話

連絡者（台北 文書課長
東京 高橋秘書官）

一、鈴木ヨリ
長官帰任ノ件ハ十月二十一日中国側ヨリ支那総軍ニ対シ「两三日中ニ支那側ヨリマッカーサー司令部ニ長官帰任方要求スル」ト回答アリタリト

二、鈴木ヨリ
引揚日本人ノ所持金ノ件ハ一昨日安井所長ヨリ右ニ関シ所持金一千円ノ制限ノ旨電アリタルモ其以上ハ没収サルルモノナリヤ 又ハ一時日本銀行ガ預ルモノナリヤ 其ノ辺ノ処ヲモ少シ判然トセシメ至急回答乞フ
因ニ此ノ種通報ハ影響大ナルニヨリ単ナル情報ニテハ不可ナリ、取扱等ニモ調査ノ上ニセラレ度シ

三、官房ノ件（秘書官ノ質問ニ対スル返）
長官及官房自動車ハ中国側ニトラレタリ 移転先ハ今許可申請シアリ 右部局ニ対シ中国各部局ハ夫々別々ニ接収ヲ要求シ官房ハ混乱状態ナリ

昭和二〇、一〇、二三

當時想起

一、陳議長及二十四名臺灣ノ要人

二、進駐軍ハ其ノ後七、八千撤收セリ（最初ノ一万四千ノ地ナリヤ、九千ノ地ナリヤ明瞭ナラス）

三、緊急律令ニ關シ臺灣總督ガ中國台灣行政長官ニ從フノハ台灣ハ既ニ中國ノ主權ニ屬シ中國行政長官ハ在台灣ノ日本ノ長官ヲ利用シテ行政ヲ為シ日本長官ハ之ニ從フベキモノト解シテ居ル

臺灣總督府東京經濟事務所

昭二〇、一〇、二五、受

發 鈴木文書課長

受 北原事務官

電話連絡事項

一、陳儀長官ハ昨日着台シ本日午前之ニ対シ安藤総督ハ受降式ヲ挙行セシメタリ 而シテ直チニ命令書ヲ伝達セシメタルモ目下之ガ翻訳中ニシテ詳細分明セザルモ要スルニ一般的、概括的命令ナリ 斯クテ本島統治上本日ヨリ劃期的ナル一段階ヲ画スルコトヽナリタリ

二、昨日中国側警察官約二、〇〇〇名、外ニ勅任官級四名、奏任官級四〇〇名及判任官級百余名着台セリ

三、現在迄ニ進駐セル中国軍隊ハ総テ第七〇軍団ニシテ基隆地区六、〇〇〇名 台北地区九、五〇〇名ヲ数フ

四、近日中ニ高雄港着ノ船舶ニ依リ中国軍隊八、〇〇〇名高雄地区

臺灣總督府東京出張所

ニ進駐スルコトニ定ナリ

五、右ノ如キ次第ナルニ付　長官閣下ノ御帰台ヲ速ナルコトヲ鶴首シテ待チツヽアリ、東京出張所総動員ニ依リ一日モ早ク決定スル様　御盡力願度

而シテ本府ニ於テ　打ツベキ手アラバ　即急御連絡願度

六、(当方ヨリノ質問ニ対シ)本島ハ今陳儀長官ノ歓迎ニ湧キ立チ　全島各所未禮(？)典禮ヲ行ヒツヽアリ而シテ治安一般ハ通常ノ行政運営ノ欠陥ニ基ク(例ヘバ食糧逼迫等ニ基ク)紛争事件及窃盗等ノ事件ハ続發シ居レドモ大局的ニ観テ此ノ分ニテハ治安平静ト推シ得ベキモノナリ

米ノ配給方針ハ新タナル方針ニ立チ　計画ノ上　目下中国側ニ折衝中ナルモ立カ決定ヲ俟タズシテ　食糧事情ハ日ニ日ニ窮迫ヲ告ゲツヽアリ

昭二〇、一〇、二六

電話連絡事項

一、十月十九日附長官代理ヨリ長官宛電報ノ通願ヒ出シ（右十九日電報ハ当方ニ異議ナキ旨答ヘタル處）右内容ハ台湾官吏ハ接収後モ其ノ官吏タル身分ヲ継続セシムルコトトシ　及官制廢止ニ当リテハ新ニ台湾ニ終戦事務局ヲ設置スルコトヲ希望ス　右ニ関シ中央ノ意見通願度

右ハ特ニ重要ナル事項ナルヲ以テ特ニ長官出京中ニ處理願度

二、陳長官ヨリ総督宛昨日来会ヲ求メ内容ハ台湾総督府ノ一切ノ職權ハ之ヲ取消シ「総督」ノ名ヲ「台湾地区日本官兵善後連絡部長」ト改メ陳長官ノ指揮ヲ受ケ其ノ命ヲ部下ニ傳達スル責ニ任ジ特ニ命令ヲ出スコトヲ禁ズ　台湾ノ地域ハ総テ之ヲ接収シ軍司令官及総督ノ権限ハ総テ之ヲ取消ス

以上

二〇、一〇、二七

發 文書課長

宛 安井部長

台灣省行政長官公署警備總司令部前進指揮所通告（台進字第四號）ノ大要次ノ如シ

思フニ納税ハ全民ノ當然負フ可キ義務ニシテ全省全住民ハ國籍ノ如何ニ拘ラズ税制ノ未ダ改訂セラレザル以前ニアリテハ當然現行税則ニ則リ收税機關ニ對シ夫々區分納税スベキナリ、租税ヲ滯納シ税收ヲ障害セザル様コヽニ通告ス通知セルハ各々遵守スベシ

中華民國三四年十月十九日　主任　葛敬恩

二〇、一〇、二七 発信

鈴木信太郎

安井所長宛

台湾省行政長官公署台湾警備総司令部前進指揮所通告（公進字第二号）ノ大要次ノ如シ

台湾政府、日本政府及ビ日籍人民ノ所有スル公私財産（動産、不動産ヲ含ム）ハ既ニ之ガ移動転売ヲ禁ジアリタル所報告ニ依レバ不逞ノ徒アリテ恣ニシ公私財産及ビ公用器物ヲ窃売シ甚シキハ没収名ヲナシ不動産ノ名義変更ヲ為ス等ノ事アリト誠ニ不法ナリ依ッテ茲ニ特ニ公告スル事ノ左ノ如シ

一、中華ノ人民ハ日本人ノ公私財産ニ対シテハ商店ノ習慣デアル正常ノ営業ノ外ヲ濫リニ小利ヲ貪リテ秘カニ買ヒ取リ限イテハ法律ノ制裁ヲ受ケ又私

人ノ損害ヲ蒙ルガ如キ事アルベカラズ
取リ極メヲ知ラズシテ既ニ本年八月十五日以後買ヒ取リ
或ヒハ改姓名ヲナシ営業ヲ為シタルモノハ速カニ主管機
関ニ申告シ現物ヲ元所有主ニ返還スベシ

二、旧籍民ハ特ニ良ク法ヲ守リ規定ヲ遵守シ以テ
奇貨ニ乗ジ或ヒハ詐欺ヲ以テナス等ノ行為ニ依リ
法ニ触レ自ラヲ過ルガ如キ事ノアルベカラズ
モシ上述ノ犯行アリテ一旦発覚セバ但シ本人ノ罪
ミニ止ラズ累ヲ郷カノ政府ニモ及ボシ等シク外責
ヲ負ハシムル事トナルベシ

三、右遵守セヨ、ココニ布告ス

中華民國三四年十月十二日　主任　葛敬恩

臺灣總督府東京出張所

二〇、一〇、二九　前八、三〇　受

須田長官代理

成田總務長官宛

二十五日挙行セラレタル受降式ニ於テ中國臺灣省行政長官兼警備總司令陳儀上將ヨリ安藤臺灣總督兼軍司令官ニ對シ手交セラレタル中國臺灣省行政長官公署警備司令部命令臺字第一號ノ内容次ノ通左ニ付御報申上ク

命令

一　日本中華派遣軍總司令官岡村寧次大將ハ既ニ日本帝國政府及日本帝國大本營ノ命令ニ從ヒ中國（東三省ヲ除ク）佛印北緯十六度以北及臺灣澎湖列島ニ於ケル日本陸海空軍ヲ率ヰ中華民國

内務省

三四年九月九日南京ニ於テ降書ニ調印シ中國戦區最高統帥特級上將 蔣中正ノ特派セル代理者タル中國陸軍總司令一級上將何應欽ニ対シテ無條件降伏セリ

二 中國戦區最高統帥兼中華民國國民政府主席蔣及何總司令命令及何總司令ガ岡村寧次大將ニ交付セル中字第一號ノ備忘錄ノ指定スル所ニ準據シ本官及本官ノ指定スル部隊並ニ行政官ハ臺灣澎湖列島地區ノ日本陸海空軍及其ノ補助部隊ノ投降ヲ接受シ併セテ臺灣澎湖列島ノ領土人民 地權 軍政 施設及資産ヲ接收ス

三 貴官ハ本命令ヲ受ケタル後ハアラユル臺灣總督及第十方面軍司令官 貴官ノ職權ハ一率ニ取消シ 臺灣地區日本官兵善後連絡部長ト改稱

規格 B4

ニテ本官ノ指揮ヲ受ケ麾下ノ行政軍事警一切ノ機関部隊人員ニ対シテハ本官ノ命令訓令規定指示ヲ傳達スル以外ニ如何ナル命令ヲモ発スルヲ得ス　貴官ノ部下ハ本官ノ指示ニ基キ部隊長官及接收官吏ノ命令規定指示ノ傳達ヲ為シ得ルニ止マリ自ラ濫ニ全ヲ処理スルヲ得ス

四　命令ヲ受ケタル日ヨリ貴官自身並所属ノ一切ノ行政軍事警ノ機関部隊人員ニ命シ直チニ迅速確実ニ何時ニテモ命ヲ待ッテ交繳シ得ル如クノ準備ヲ終ヘシ各種機械物件物資ニ付報告ノ虚偽及徴発遷移毀損隠蔵ノ事ナキ責ヲ為スヘシ詳明処断ス

五　以前ニ貴官ニ発シタル各師ノ備忘録及前進指揮処ノ訓令規定ノ発セル文献ハ全テ本官

ノ措置ニ付之ガ徹底ヲ期スル總テ確實迅速ニ遵奉シ
ト同時ニ下僚ノ命令ヲ一律ニ確實ニ實行
セシムベク右命令ス
本命令ハ受領式ニ從ヒ安藤利吉将軍ニ直
接手交ス

内務省

規格 B4

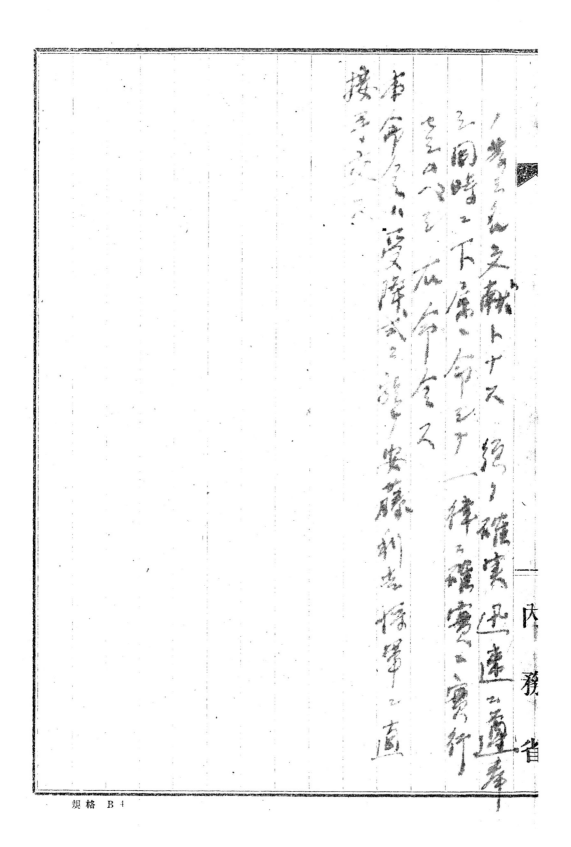

昭和二十一年十月二十九日着

安藤台北帝大總長

成田總務長官宛

（文教局長宛全文着信ス）

置ニ御依頼中ナル

一、大學ノ内地移駐

二、右不可能ノ場合ニ於ケル學生、生徒ノ内地大學等

ヘノ轉學ノ件ハ如何相成ルヤ

又接收委員ニ對シテ

一、本大學ヲ益々擴充發展セラレタキコト

二、接收後モ中斷スルコトナク學生ハ就學ニ又教授ハ

研究ニ從事シ得ル樣便宜ヲ與ヘラレタキ事

三、教授ノ有スル科學及技術ヲ中國側ニ於テ

活用セラレタキコトヲ要請致候

内務省

右要旨何卒実現方政府ニ対シ御尽力相煩度
尚当大谷ニ於テハ内地出張中ノ安達教授等ニ
対シ右旨電報セリ
同教授等御許ニ参上ノ節ハ格別ノ便宜御取
計ヒ相煩度

規格 B4

二〇、一〇、二九

文書課長

安井所長宛

安藤發文

台灣省行政長官公署警備總司令部前進指揮
所通告（台進字第三號）ノ大要次ノ如シ
聞ク処ニ依レバ台灣全省各地ニ於テ濫リニ財物ヲ強奪
シ森林ヲ盗伐シ耕牛ヲ盗ミ之ヲ密殺シ秩序ヲ破
壞シ衆人ヲ集メ賭博ヲ為ス事アリト、実ニ不法ノ極ミナリ
速ニ調査捕縛ノ上処断スベシ、其他婦女子ヲ強
姦シ交通通信ヲ妨害シ公物ヲ毀損シ物資ヲ窃盗
シ行政ヲ阻害スル等ノコトハ最モ嚴重ニ調査禁圧シ
違反者ハ一律ニ法ニ依リテ嚴重ニ追求処罰シ決シ

臺灣總督府東京出張所

テ寛貸セズ、茲ニ通告スルコト左ノ如シ

一、台湾ノ主权ハ既ニ中國ニ依リ接收セラレタリ、正式事務接收以前ニ在リテハ暫定的ニ現有各機関ニ依リテ統治スベキ之ハ中國政府ノ命令ヲ奉ジテ行ヘルモノナリ、凡ソ我人民ハ合法的処置ニ対シテハ等シク一律ニ遵守シ軽挙妄動シテ法ニ觸ル事アルベカラズ、若シ上記ノ罪アリタル場合ハ必ズ嚴重ニ処罰シテ寛貸セズ

二、台湾ノソコンシユシキウ休戚ヲ同ジクシ互恵互助スベシ、殊ニ当地方ノ有識ノ士ハ職責ニ指導ニ任ジ省民ヲシテ軌道ヲ外レシタル行動ヲトラシムルベカラズ、同時ニ各地方ノ実際ノ需要ニ応ジ青年ハ軍事訓練ヲ受ケタル僑徒兵ヲ集メ其ノ本来ノ業務ニ復帰スベキ

條件ノ下ニ甚シク多數ニ上ラザル必要限度内ノ人員ヲ以テ地方服務体ヲ暫時編成シ各々交替シテ軍警ト協同巡察シ以テ治安保持ノ任ニ當ラシムベシ

三、目下日本官憲ハ依然確實ニ責任ヲ以テ地方ノ治安ヲ維持シ怠慢不注意ナルコトアルベカラズ總ベテ中華民國ノ法律及ビ本邦ノ命令ノ措置ニ違反セザル様心掛ケ依然服務ヲ継續シ行政ヲ中絶セシメザル様斯クテ秩序ハ確保セラルベシ各階日本官憲若シ良ク其ノ職ヲ盡セバ自己ノ運命モ亦漸次ノ希望ノ光明ニ近ヅクベシ若シモ責任ヲユルガセニシ或ハ職務ニ忠實ナ

ラザルトキハ自ラ招キテ処分セラルルニ至ルベシ

四、凡ソ現在台湾ニ在ル旧籍居留民ハ本照ノ命令及ビ逐次発令セラルル処ノ布告ヲ自ラ細心ノ注意ヲモツテ遵守実行スベシ若シ己レガ分ニ応ジ職務ヲ奉行シ怠ラズ併セテ忠実ニ地方ノ為協力服務スル時ハ本処ハ自ラ之ヲ優遇スベク若シ吾方ノ軍民ニシテミダリニ欺瞞凌辱ヲ加ヘ法規ヲ犯スモノアル時ハ即チ厳重ニ制裁セラルベシ

五、目下在職ノ中国官憲ハ台湾今既ニ回復セラレタルヲ承知スベシ諸士ノ責任ハ更ニ重大ナリ宜シク中華民国ノ法律ヲ遵守スルヲ要シ中国公務員タルノ厳正ナル立場ヲ以テ国務ニ忠実ニ服務スベ

シ、若シ不法行為ヲナシ罪ニトハルルガ如キ行為アリテ
発覚セバ直ニ厳罰ニ処セラルベシ
以上ノ五項ヲ各々遵奉スベシ　此旨ニ布告ス
以上

臺灣總督府東京出張所

昭二〇、十、三十、午後二時

連絡者 〜 秘書官
河野事務官

電話連絡事項

空中状態悪ク殆ンド聴取レズ

一、河野事務官ヨリ
先日北京事務所ヨリ電報アリタル村井、大學教授ノ件（電話聽取レザルヤ別途電報ニテ返事スルトノ事ナリ）

二、秘書官ヨリ
長官ノ帰台ノ件ハ中國ノ要求到着セザル限リ帰台不能ナリ前電ノ中國ノ要求ハ何日発信アリタルヤ、調査ノ上電報ニテ返アリタシ

電報案

二〇、一〇、三一、　長官名

臺北市大武町三ノ一
陳儀行政長官
葛敬恩前進指揮所長　宛

謹ンデ御安着ヲ祝ス「小官ハ台湾接收ノ円滑ヲ目的トシ中央トノ連絡ノタメ九月二十日ヨリ七日間ノ予定ニテ渡日シタル処、聯合軍司令部ノ日本官吏内外地来往禁止ニ遇ヒタル為特ニ渡台許可ヲ申請シタルモ聯合軍司令部ニテハ貴國側ノ渡台要求ガ未ダ到着セザルコトヲ理由トシテ実現ニ至ラズ此ノ重大ナル時局ニ際シ職責ノ遂行ヲ期シ得ザルハ遺憾ニ堪ヘズ　付テハ速カニ小官一行四名ガ渡台シ得ル様特別ノ御高配ヲ乞フ」

電報案　二〇、一〇、三一

須田農商局長宛　長官名

小官ノ帰台ハ中国ノ要求未ダ「マ」司令部ニ到着セザルタメ実現ニ至ラズ遺憾ニ堪ヘズ御心労深謝ス。当方ニテモ手配中ナルモ中国ノ要求発送日時及其ノ内容調査方御手配乞フ　尚左記ノ事項折返シ返乞フ
一、総督府接收ノ時期
二、米ノ内地ハ急速ナル処置ヲ要スルモ其ノ後ノ進行状況
三、砂糖ノ價格統制ノ処置ノ状況

臺灣總督府東京出張所

（註）
下記中三項ハ
既ニシテ電話
不明ナリシモ
「米軍総務
ノ外ニ……民政部
……更ニ要ス
込ノ切ヲ聞取ル
ヲ以テ再度ノ
内容ニシテ大体
下記ノ如ク解釈

四、石炭ノ出廻リ状況

電話連絡事項

昭二〇、十、廿一

連絡者 鈴木文書課長
前谷秘書官

一、（鈴木ヨリ）
内地在住ノ本島人学生及徴用海軍工員ノ帰台処置ナク且ツ内地ニ於ケル其ノ状況不明ノ為ノ関係者ハ非常ナル不安ヨリ激昂スルニ至リ事態重大ニシテ内地人ノ本島在住不可能トナルニ至ル虞アリ速カニ中央ニ於テ還送方取計ヒ度ク又夫等ノ人ノ状況（例ヘハ留学ハ多大ノ出費ヲ以テ保護ニ努メアル等）ヲ詳細本社宛御通知請フ
本件ヨリハ海軍大臣内務大臣宛懇請電セリ
（省略）
東京華僑ハ軍力中ナルモ中国側ヨリ司令部宛本島人ノ送還方要求セシメラレルヽ

二、（鈴木）十月廿五日ヨリ陳儀長官名ニテ行政ヲ実施シ各部局ハ文書ヲ調整セリ但課長以下ハ目下其ノ儘中国側ト共ニ在リテ其ノ命ニ服シテ執務中ナリ

三、（鈴木ヨリ反問）長官帰台ニ関スル中国側ノ要求ノ到達セザルハ之ヲ承知セル米軍移動アルタメ民政部ニ充分ナラザルトノ由ニテ更ニ要求セル由

昭二〇、一〇、三一 起（電報）

農務局長発

総務長官宛

関係局課長ハ今軍司令部長ニ転出ノ趣ナルニ付キテハ其ノ後任トシテ警務局勤務川口書記官ヲ補職致度御指示請フ

昭二〇、一〇、三一発

人事課長

吉岡理事宛

総裁前実施ノ人事異動ニツキ中国側ノ諒解ヲ得タル
旨農商局長ヨリ長官宛返電ニテ承知セルモ其ノ後
ノ分ニシテ現在東京ニ到着シアルモノニ付テハ如何了解
ナキモノニ付テハ了解ヲ得テ其ノ旨返電アリ度シ

寫

通話事項

二〇・十一・一
鈴木文書課長―北原事務官

一、鈴木課長ヨリ
本十一月一日午前十時官房人事課及文書課ヲ除ク各部局課ハ具体的（即チ事務引継ノ形ヲ以テ）ニ接收セラレタリ而テ局長ニ対スル処置ハ区々ニシテ例ヘバ鉱工局長ハ其ノ儘勤務ヲ續クルコトヲ要望セラレタルモ多クノ他ノ局長ハ出勤ニ及バズトノ言渡シヲ受ケタリ（文教局長ハ如何ニ処置セラレタルヤ審カナラズ）一場所遠クシテ鈴木課長迄連絡ナシ而テ課長以下ハ変化ナク、出勤ニ及バザル局長モ近ク顧問等ノ地位ニ委嘱セラルル見込ナリ
總督府ノ外本日接收セラレタルハ台北州及台北市ナリ之亦知事、市長等上層部ハ罷免セラレ係長級以下ニハ変化ナシ

二、鈴木課長ヨリ
長官ノ辞任ノ件 重慶ヨリマッカーサー司令部ニ電着セザ

臺灣總督府東京出張所

ル旨ヲ陳ベテ支那總軍宛督促電報ヲ発シタリ
成田長官ハ本一日陳儀氏ヨリ「台湾地区善後連絡部副部長」ニ委囑セラレタルヲ以テ重慶側ヨリ見ルモ其ノ帰化ハ絶対的ニ必要ナリト稱シ得キヲ以テ貴方ニ於テハ此ノ旨マッカアーサー司令部ニ詳細説明ノ上許可ノ促進方ヲ図ラレ度

三、鈴木課長ヨリ

長官東京ニ於ケル活動ノ状況ヲヨリ詳細ニ電セラレ度、例ヘバ大蔵省関係ニ対スル予算ノ措置ヲ如何取極メラレタルヤ、在内地本島人援護ニ付執ラレタル措置等詳細知ルヲ得ル時ハ本島統治上真ニ好都合ナリ

四、北原事務官ヨリ

元台北米国領事館通譯松尾忠平ノ現住所、健康状態ヲ電話ニ依リ御知ラセ乞フ

（註、右ハスパイ事件ニ依リ体刑ヲ課セラレタル者ニシテ右事

項（マッカアサー司令部ヨリ終戰事務局ヲ通ジ内務省ニ照会アリ　速答ヲ求メラレタルニ依ル）

臺灣總督府東京出張

二〇、一一、一受

須田長官代理

總務長官宛

十月二十八日附ヲ以テ臺灣行政長官公署ヨリ臺灣地区日本官兵善後連絡部長宛(一)ノ如キ訓令アリタルニ付(二)ノ如ク処理致置キタリ右取敢ヘズ御報ス

(一) 臺灣省行政長官公署訓令 署接第一號

元臺灣總督府及所属各機関文書財産等ハ本処接收ニ帰シタルニ依リ臺灣地区日本官兵善後連絡部長安藤利吉ハ本令ニ依リ処理スベシ

臺灣全省ハ中華民國三十四年十月二十五日中國版

臺灣總督府東京出張所

臺灣總督府東京出張所

圖ニ歸ス軍事方面ハ臺灣省警備總司令部ニ於テ責任ヲ以テ接收スベク別途指令ヲ發スルハ勿論其他元總督府及其ノ所屬各機關ノ文書財産及事業等ハ總テ本公署ノ接收ニ歸スルヲ以テ貴官ハ責任者一名ヲ指定シ日ヲ定メ本公署ニ來リ葛敬恩秘書長ノ指示ヲ受ケ處理アリタク指定責任者ノ氏名報告方希ム　右命令ス」行政長官　陳　儀

(二)

臺灣地區日本官兵善後連絡部長発

臺灣省行政長官　陳儀　閣下

中華民國三十四年十月二十八日附署接字第一號訓令拜承致　同訓令ニ基ク責任者ハ臺灣總督府

總務長官成田一郎ヲ指名ス　尚同人ハ目下上京中ニ付不在期間中農商局長須田一二三ヲシテ代理セシム　右通報ス

臺灣總督府東京出張所

昭二〇、一一、二発

總務長官発

總督總務長官宛

保安課長後任ノ件ハ當局ノ通達ヲ相成度

昭二〇、一一、二

電話連絡事項

連絡者　鈴木文書課長
安井部長

一、鈴木ヨリ

(1)長谷帰任ニ関スル米国側ノ要求ノ内容及打電ノ日時ヲ知ルコトハ極メテ困難ナリ　本件ハ支那總軍ノ何應欽ト其支那軍ノ在日本「マ」司令部トニ云フ複雑経路ヲ経テ居ルガ故ニ台北ニテ之ヲ調査スルハ困難ナリ

(2)在内地台湾人ノ件ニ関スル電報受領、当地ニテモ電報ノ趣旨ニ従ヒ努力スルモ東京ニ於テモ一層ノ尽力相願度、台湾ニ於テハ本問題ノ急迫ニ対処スル為勅任級二〇〇円、奏任級月収ノ一割以上、其ノ他ハ五割以上ノ拠金ヲ為シ又日本籍民百円ヨリ相当多額ノ醵金ヲ募ラントス長官公署保護費金トシテ提出送付

方御願スルコトトセリ

(3) 米ノ件ハ一日附長官公署ヨリ公定價格（電話聽取困難）
發令セラレタリ

二、安井ヨリ
保安課長復任ノ件ハ長官代理ヨリ照會ノ通リ進メ相成ル

二〇、一一、二受信

須田長官代理発

総務長官宛

十月二十五日挙行セラレタル受降式ニ於テ命令書ブ字第一號ヲ臺灣總督ニ手交スルト同時ニ陳儀長官名ヲ以テ一般省民ニ對シ次ノ如キ通告ヲ發セラレタルヲ以テ御報告ス

臺灣省行政長官公署　署秘第一號

陳儀ハ臺灣省行政長官ニ就任スト共ニ國民政府ノ命令ヲ受ケ且ツ同省印章一箇ヲ接受セリ依テ十月二十五日ヨリ就任執務ス該印章ノ使用ヲ開始セリ

右全省人民全部ニ周知セシムル為特ニ通告ス

臺灣總督府東京出張所

中華民國三四年十月廿五日

長官　陳儀

（日本標準規格 B.4） 東・東 1137

(写)

昭和二〇、一二、一二

須田長官代理 宛

総務長官

台湾在留内地人ノ引揚援護ニ関シテハ

一、台湾在留中ハ外務省所管ノ下ニ設立セラレタル在外同胞援護会ニ於テ之ニ当ルコトトナリ目下準備中ナリ

二、内地ニ引揚以後ノ援護ハ厚生省監督ノ下ニ戦災援護会ノ一部門トシテ担当スルコトトナリ「新ニ引揚民会」ヲ設ケ充分ナル資金ヲ以テ活発ナル活動ヲ開始セリ当方トシテモ別記ノ如ク台湾協会ヲシテ取敢ヘズ内地在留台湾人ノ救済ニ尽力セシメツツアルモ将来台湾在留内地人ノ引揚開始後ニ於テハ戦災援護会ト協力シテ援護ニ当ラシムル方針ニシテ目下各方面ト折衝シツツアリ

関係

内務省

尚内地在留台湾関係内地人ノ援護ニ付テモ遺漏ナキヲ
期シツヽアルカ特ニ在台内地人ノ内地留学子弟ニシテ台湾
ヨリノ送金ナキ為学資困難スル者増加セントスル現状ニ
鑑ミ厳ニ之援護資金ヨリ学資金ノ融通ヲ受ケ台湾協会
ヨリ之ヲ学資ノ立替ヲ為サシムルコトトシ実施ニ取掛レリ

昭和廿年十月二日

文書課長宛　　　　秘書官

在内地本島人ノ帰台出来サルハ「マ」司令部ニ対スル中国側ノ
要求ナキ為帰台セシメ難キコトノ中国側ノ申入ニヨルモノナレハ
何中国側ノ要求絶対ニ必要ナリ

規格 B4

写

昭和二十年十一月四日受

總務長官宛　須田長官代理

（電報訳）

本府各局部ノ接收ノ件ニ昨華電ノ通十月卅一日附舊

秘書長ヨリ中国側接收員派遣通報ニ基キ本府

各局部ハ概ネ十一月一日午前九時接收セラレ一應交替ヲ

了シタリ接收ノ精確ナル内容ニ付テハ一両日中ニ各

局部長ヨリ報告書提出ノ豫定ナルモ不取敢概況

ヲ左ニ申上ク

本府官房文書課審議係ハ法制委員會、

情報課ハ宣傳委員會、地方課ハ民政処、

文教局文教課ハ教育処、援護課ハ民政処、

財務局ハ財政処及會計処、鉱工局ハ鉱工処、

内務省

農商局食糧部ハ農林処、商政課ハ鉱政処
警務局ハ警務処、但シ衛生処ハ民政処、法務部ハ
法制委員会、　外局交通局ハ交通処、
専売局ハ台湾省専売局、高等法院ハ中国側法院其他
図書館、博物館、気象台、糖業試験所、林業試験
所、台湾新報社、台北放送局、同盟及内地新聞社
等ノ接収アリ本府ノ内官房秘書室、人事課及法
令審議室以外ノ文書課ハ未接収ナリ
接収ノ内容ハ官印、職員、帳簿、備品其ノ他ノ財産ニシテ
職員ニ付テハ各局部課并課長（交通局ノ両部長ヲ含ム）
以下全員ヲ接収シ原則トシテ従来ノ如ク勤務セシメ局長ニ付テハ
鉱工局長ガ鉱工処長ト同場所ニテ執務セシメ居ル外ハ全部一応
留職セシムルモノトシテ取扱ハルモノ如シ　但シ行政公署ニ於テ必要アル
場合ハ随時重要案件ニ付協力ヲ求メラルル筈
右内務省ヘモ伝報アリタシ

規格　B 4

昭和廿年十一月四日

総務長官

須田長官代理殿

一、台湾総督府官制ガ何時廃止セラルヽヤニ付テハ関係各方面トモ所謂中ナル処理論的ニハ植民地ハ之ヲ廃止スルト同時ニ之ニ代ルヘキ機関ヲ設クルコトヽナルヘキモ此ノ場合ハ新官制ヲ制定スルト共ニ新ナル予算要求ヲ必要トスル為現行官制ヲ当分其ノ侭トシ従テ現行予算ヲ以テ経理ニ当ラシメ便宜トスル実際論アリ 此ノ際ニ於テハ既ニ設置セラレタル終戦連絡事務局及新ニ設ケラレタル台湾地区善後連絡部トノ関係ヲモ考慮スルノ要アリ 小官帰任後中央政府トモ打合セノ上決定スルコトヽ致度

二、右何レノ場合ニ於テモ臨時特別会計ト結合整理ノ上之ヲ
一般会計ニ引継グコトニ付テハ大蔵省ト諒解済ナリ又来
年度予算ノ編成ニ関シテハ蒙疆地域ノ通貨[illegible]ノ情勢
ニ即応シ将来適当ノ機会ニ編成スルノ外ナシ

三、駐蒙軍ニ対スル経費支給ニ付テハ内地ニ於テハ国庫
ノ直接支出トセズ取敢ヘズ日本銀行ニ於テ便宜支
貸シ之ガ決済ハ将来ノ予算トシテ取扱ヒツヽアリ

規格　B 4

昭二〇、一一、五、受

電報譯

発 警務局長

宛出張所長

左ノ通内務省警保局長ニ打電セリ 本件ハ総務長官閣下ニ報告方請フ 十一月一日警察関係事務ニ付台湾省行政公処警察処処長ニ引継ヲ了シタリ 依而台湾ニ於ケル日本政府ノ警察事務ハ事実上終止シタリ 尚当分ノ間警察職員ハ原則トシテ現職ノ儘使用セラルヽ予定ナリ 終戦後ノ治安ニ付テハ多数ノ不祥事件発生シタルモ大局的ニ観テ治安ノ大綱ヲ維持シ得タルモノト思料ス

昭二〇、一一、五受

電報譯

総務長官宛

発 須田長官代理

本府接收ノ時期ニ関スル件遂ニ十一月二日附御照会ノ首題ノ件ニ付テハ接收ノ観念トシテハ必ズシモ明確ナル一定日時ヲ期行政全機構一斉ニ交替ヲ実施スルコトナク台湾全島ノ現状ノ諸動ヲ維持シツツ上層部ヨリ逐次交替ヲ行フ手続ノ連鎖ト御諒解賜ル中国側要人ノ説明スル処ニ依レバ之ヲ一、形式的接收ニ、清算三、処理ノ階段ヲ趁フテ進行スルモノナリ今日迄ノ経過ヲ顧ミルニ前電ニテ申通ノ陳儀長官ガ二十四日着任二十五日受降式ニ於テ手交セラレタル命令ニ依リ安藤総督ノ職権ノ一切ヲ取消シ日本官兵善後連絡部長トシテノ任務ヲ与ヘラレタルニ依リ第一段ノ切替行ハレ二、十月三十日通達ヲ以テ成田長官ヲ同連絡部副部長ニ命ゼラレタルニ依リ第二段ノ切替行ハレタルモノト解セラレ三、更ニ十一月一日略々本府内局外局一斉ニ長官公処各処長ガ各局到ニ局課所属人員簿冊備品等ノ引継ヲ実行シ局長等ノ少数ヲ除キ殆ンド全部ノ職員ニ

規格 B4

一應ノ執務命令ヲ發セラレタルガ之ヲ以テ第二段ノ切替ヲ行ハレタルモノト解セラル之ニ依リ今後ノ行政運營ハ實際ニ於テ猶本邦関係職員ニ依リテ行ハルルモ其ノ決定權限ハ対外的名義ヨリ凡テ由ルノ行政長官公署ノ各責任者ニ移行シ本邦関係職員ハ単ニ内部的補佐機関タルノ地位ニ置カレタル次第ナリ。

写

昭二〇、一一、六

成田総務長官宛　須田長官代理

前電九八通総督府及其ノ所属機関ノ接收事務折衝責任者トシテ総務長官ヲ指名陳儀行政長官宛通報致シ置キタル処十月三十日行政長官公署ヨリ左記ノ如キ通牒アリタリ

右ニ因リ総務長官ハ台湾地区日本官兵善後連絡部副部長トシテ行政長官公署ノ右折衝事務ニ対スル折衝責任者タルコト中国側ニ於テモ確認セラレタルモノナルニ付当方ニ於テモ帰台促進方極力努力スヘキモ当方トシテモ右通告ヲ手懸リトシテ其ノ他一切交渉相成ス

記

台湾地区司令官兼后方運路部長安藤利吉ノ指
揮組下ニ入リ第五号ノ通報ニ因リ成田一郎ヲ派シテ本公署
ノ指揮事項指揮責任者トシタルモ成田一郎不在中
ハ須田一二三ヲシテ之カ代理ヲ為サシムル旨通達アリ
此ノ旨十月廿日陸軍省ヨリ本署ニ係ル通達アリタリ
依テ茲ニ成田一郎ヲ台湾地区司令官兼后方運路部副
部長トシ該部長ノ帰任以前ニハ須田一二三ヲシテ
代理副部長タラシムル旨茲ニ通達ス
尚右ノ旨安藤利吉運路部長ニ報告アリタシ

写

昭二〇、一二、六

殖田長官代理

総務長官 宛

内地在住本島人ノ安否ニ関シ左ノ通内務次官宛打電セルニ付御諒承ノ上本件解決方ニ付特段ノ御配慮ヲ得度シ

終戦後本島外在住台湾人ノ安否ハ日籍離脱ノ後ニモアリ島民ノ重大関心事ニシテ而テ我方官憲ニ其ノ実情ヲ照会スル者多数アリタルガ之ニ応シ先般来台湾新生報（旧台湾新報ニシテ中国側ニ接収セルモノ）ハ特ニ内地在住台湾人ノ救済運動ヲ提唱シツツアリタル処同紙ハ十月廿日佐世保ヨリ機帆船ニテ帰台セル台湾人ノ報告トシテ和漢両文ノ社説ニ於テ其ノ窮乏セル状況並帰還便船ニ関スル海軍当局ノ不誠意ヲ難詰シ[illegible]民感情ヲ害スルコト甚大ナル衝動ヲ与ヘ此儘放置スルニ於テハ本島人ノ内地人ニ対スル

内務省

報復的民衆運動ヲ惹起スルノ虞多分ニアルニ付

本島特殊事情ト警察ノ上一応左記事項

御調査ノ上御返シ何分ノ御回報相煩度

記

一、学生、軍人、海軍工員ヲ主トスル軍属及一般人別ニ生命財産ノ保護救済ニ関スル経緯ノ経過及現状

二、台湾送還ニ関スル配船其他ノ手配状況及其ノ将来ノ見透シ

以上

規格 B4

昭二〇、一二、七、発電

総務長官発

須田長官代理宛

左ノ点返電請フ　一、台湾地区日本官兵善後連絡部ノ組織

二、曩ニ設置セル終戦連絡事務局ハ右ト如何ナル関係ニアリヤ又中国政府側ニ於テ之ヲ承認シタリヤ

昭二〇、一一、七発電報

總務長官発

總[illegible]總務長官代理宛

豫算要求資料ニ関スル件
本府接收ニ伴ヒ今後本府ノ事務ハ殘務整理諸般連絡事務並ニ邦人ノ保護並引揚対策等ニ縮少セラルベク之ガ諸費及之ニ伴フ現在員ノ退職賞與等ヲ一般会計ニ要求セラルル要アルニ付テハ残存セシムル本府機構並ニ之ニ要スル費用ニ関シ中央ノ諒解ヲ得度ニ付至急本件ノ意嚮取纏メ返電相成度

（日本標準規格 B.4） 東・東 1137

二〇二、七、收

河村 徹

成田總務長官宛

官報訳文

在台湾島民援護ニ関スル件」在台湾島民中多数ノ者ハ帰還望モナク寒天ノ下飢死凍死スルノ窮状ニ在リトノ情報本島ニ伝ハリ島民ニ多大ノ衝撃ヲ与ヘ日本居民ニ対スル憤慨ノ色濃ク、オダヤカナラヌ状勢ヲカモシツツアリ」島民有力者ハ互ニ之ガ救援運動ヲ展開シツツアルガ在台日本人トシテモ坐視シ得ザル義捐金ヲ募集スル等対策ニ努メツツアリ母国ニ於テモ速カニ右実情ヲ調査シ温キ保護ヲ加ヘ一日モ早ク帰還セシムル様特別ノ御取計ヲ乞フ」

臺灣總督府東京出張所

臺灣總督府東京出張所

右在台日本人ノ總意ニ依リ懇請ス

台北市表町　台北州商工経済会内

台湾在留日本人代表　河村　徹

（日本標準規格 B.4）　東・東 1137

昭二〇、十一、八、受

警務局長発

総務長官宛

十月中旬台湾省民ノ帰台ガ報道セラレタルガ実現セズ凡テ日本政府ノ不誠意ニ依ルモナリトセラレ一方十月下旬省民有力者ヲ中心ニ台湾省海外同胞救済会設立セシ特ニ在日同胞救済ヲ提唱、救済金ノ募集ヲ開始シ漸ク問題ガ重大化セントスル気運醸成セラレタルガ其ノ直後十月廿九日附新聞ニ九州ヨリ機帆船ニ依リ帰台セル在日同胞連絡員ト称スル者ノ談話形式ニテ在日同胞ハ軍人、軍属、学生等凡テ抛リ出サレ寒夜、飢餓、病魔ニ襲ハレ悲惨ノ極ニアルガ日本政府ハ責任ヲ負ハズ放任セリトノ記事掲載サレ更ニ三十日附新聞社説ニ在日台湾同胞ヲ救済セヨト掲載セルニ及ビ民情ニ大ナル衝撃ヲ与ヘ反日気運激化セルガ他方各地ヨリ救済陳情等アリシ台湾省海外同胞救済会、台湾商工経済会等ノ団体ニ於ル救済金募集進展シ目下内台人ノ別ナク之ニ應ジツツアリ稍々平静ニ帰シタリト雖モ内地ノ状況一切判明セズ、父兄等ハ何レモ不安裡ニ情報ヲ鶴首シツツアル状況ナリ

秘

昭二〇、一、八受　電報譯

須田総務長官代理發

成田総務長官宛

内地在留台湾人工員、學生援護ノ件　本島在留日本人官民一致ノ努力ニ依リ救援資ヲ醵出スルコトトナリ民間ニ就キテハ商工経済會ニ於テ目標ヲ百萬円トシ現ニ募集中ナルガ急迫セル情勢ニ対処スル為　五拾萬圓ヲ出シテ右百萬圓ト、市援護會ヨリ五拾萬圓ヲ併セテ百五拾萬圓ヲ本府ヨリ鑛工局長及外事部長、商工経済會ヨリ河田、今川、援護會ヨリ西村副會長ノ五名行政長官公署ニ出頭葛秘書長ニ面會ノ上趣旨ヲ述ベテ之ヲ提出セリ同秘書長ハ快ク之ヲ受領シ醵金ノ趣旨ヲ諒トシ善処ス旨快諾セラレタリ　尚右商工経済會ノ募集ニ應シ一定ノ基準ニ據リ相当額ヲ本府、部隊職員ヨリ取纏メ中ナリ

右不取敢御報申上ク

昭二〇、二、九　電話連絡

（文教局長
文書課長）

一、援護會ハ如何ナリタルヤ
〃　昨今ハ接收セラレタル模様ナルモ詳細ハ課長ヨリ報告ニ受ケ居ラズ

二、地方教會ハ接收セラレタルヤ
〃　ハ本月八日ヨリ接收ヲ開始セラレ目下進行中ナルモ支那側ニ於テハ之ヲ縣、市、特別市、〇〇ニ改メ州、郡ハ廢止セラレ　本件ニ關シテハ詳細別途電報セリ

三、在日台灣人ノ數
陸軍一千、海軍三千、海軍工員五千、学生壱万
其他ノ六千、
合計二万五千人（本件ハ情報課ニ資料アルモ接收セラレ居リ個人記憶ニ依ルモノニシテ正確ナラズ）

四、官兵連絡部長トハ總督ニ對シ支那側ヨリ與ヘラレタル名稱ニシテ同副部長トハ總務長官ニ對シ與ヘラレタル名稱ニ過キス　總督ノ名稱ハ禁セラレタルヲ以テ總督府ノ行政ハ連絡事務所ノ名稱ニ於テ繼續運営セラル

五、長官帰台ニ關シテハ台湾ニ於テ接收セラレタル日航飛行機ヲ福岡縣雁ノ巣又ハ南飛行場ニ差向クヘキヲ以テ右御含ミノ上ニテ「マ」司令部ニ接衝セラルルト共ニ期日ニ付テハ当方ニ連絡セラレ度

以上

写

昭二〇、一二、五

通話事項

斎藤秘書官
河村局長

一、援護会ノ今後ノ活動ノ可能性ニツキ文教局ヨリ文教局長ヘ通知済ナリ（未取消ナリト返ス）
援護会ノ機能（十一月八日）ハ未タ形式的ニ過キス機能ニ未タ触レズ

二、内地在住本島人ノ数（台湾ニテ調査）

陸軍　一〇、〇〇〇人　―　一〇〇〇〇人？
海軍　三、〇〇〇人
海軍工員　五、〇〇〇人
学生生徒　一〇、〇〇〇人
其他　八、七〇〇人

計二五、〇〇〇人

三、長官出迎ヘ飛行機ハ福岡（雁ノ巣又ハ事務所飛行場）迄中口側ト諒解アリ尚出迎役セシムルニ要スル件ハ三日前ニ連絡アリタシ

昭二〇、二、一三午後二時

電話連絡事項

連絡者 大本営中村部員／安井少佐

一、（中村）今般広東（赤接収部分）ノ接収ハ十五日ヨリ始ル予定

其ノ他ノ接収ハ極メテ順調ニ進ミツツアリ

二、（安井）長官帰任ノ飛行機ニ付テハ「マレー」司令部ノ指示アリ次第

（今明日中ニ確定ス）連絡可致ニ付右御含ミノ上準備願フ

臺灣總督府東京經濟事務所

昭二〇、一一、一三、受（麗級）

北京事務所發

成田總務長官宛

一、九日張鎭參謀副長林少將ニ懇談、針尾ニ行キ針尾海軍復員官收容所長佐藤少將ト懇談ニ時局ニ及ビ十日台灣関係者代表七名ト三時間ニ亘リ懇談セリ

二、一般市民約十名アリ

三、乱暴狼藉ノ理由ハ台灣帰還不能ナルハ政府ノ怠慢ニ因ルトノ誤解ノ外政府ハ朝鮮人ニハ保護ヲ加ヘツツアルニ反シ全國ニ在ル本島人ニハ何等施ス處ナク飢ニ路頭ニ迷ヘル者アルヲ憤慨シツツアルニ因ルモノナラ

四、其ノ大部分ハ重慶政府ガ反対シアル為帰還不能ナル旨詳細説明セル處

此ノ点ハ將來モ充分了解セリ

五、問題ハ針尾收容所ノ五〇〇名ニ在ルニ非ズ　彼等ハ中華民國青年隊ノ指揮ニ依リ全國的ニ連絡活動シアリ　此ノ儘放置スルトキハ在留邦人ノ生存ニ重大ナル危險ヲナスモノナリト懸念ス　現ニ我政府トシテ之ノ二策ヲ至急辦法ノ要アリト信ズ

六、陳儀長官ヲ通ジ重慶ノ考ヘヲ改メシムルト共ニ其ノ保護對策ヲ閣議決定ニ依リ樹立シ實施スルコト

七、近ク廣島ニ上陸スル比律賓ヨリノ歸還者ノ中ニ七〇〇名ノ本島人アル由ニシテ此等ニ對シテハ特ニ保護ヲ加フル要アリ　放置シオクトキハ針尾ニ集ルコト必至ナリ　千名ヲ超ユル青年隊ハ甚ダ取扱ヒ難クナル虞アリ　海軍、警察當局ニ連絡アリタシ

山口縣ハ現地監察ノ必要モアリ廣島ニ往キ同地收容所及ビ名古屋ト連絡ノ予定　十五日歸京ノ見込ナリ

昭二〇、一一、一六受

中華専売局長発

総務長殿宛

専売事業ハ十一月一日接収セラレタリ課長以下全職員ハ従前通リ中国側ニ於テ勤務中ナリ但応召未帰還ノ職員ハ除外サレアルニ付日本側トシテ善後処置ヲ為ス要アリト思料スルモ彼等モ亦中国側ノ要求ニ依リ当分ノ間出勤シ居リ専売事業ハ阿片石油ヲ除キ台湾省専売局ノ事業トシテ継続セラルル模様ナリ　右報告ス

台湾総督府東京経済事務所

昭二〇、一二、一六午後二時

電話連絡要旨

連絡者 鈴木文書課長／古屋拓務事務官

一、（鈴木）日程ハ二十日及二十二日両回共出帆セシ時トス

（古屋）着時間ハ確ナルヤ

（鈴木）船ハ積荷ノ遅レモ早クモナルカラ判ラヌデハナイカ

（古屋）防衛上予定ヲ要求トス

（鈴木）五時間位見テオイテ貰ヒ　尚九時間ハ許可ヲ要セヌコトアルモノニ付キ含ミ乞フ

（古屋）当方ハ七時発五時間ヲ要スルモノトシテ計算シ防衛ノ資料トス

二、今後電話検閲ノ公用ノ件

（鈴木）終戦前ノ大異動ノ外ハ米國ノ了解ナシ

（古屋）了解ナキモノニ付キテハ内閣ニテ進行困難ナリ

（鈴木）フレデハ困ルデハナイカ
（富永）困ルカラ了解ヲ得テ欲シイ、艦隊デ閣下ニナラ最高軍
司令部ニ依テ出動ノ宣言ヲ受ケタ
（鈴木）ソウカ
（富永）ダカラヤッテ貰ヒ度イ
（鈴木）吉屋理事長ニ傳ヘヤウ
吉屋理事長ノ希望ハ
(1)銃後奉公ノ大異動、(2)退役、退職、死亡者ノ敍位敍勲
(3)臨時ノモノノ待遇ヲ (4)現役ノモノニ付テハ揃ヒ新任者
ハ取扱ハザルモ致方ナシ
ノ順序ニテ實施アリタシト
三、（鈴木）明日ノ臨時通訊ニ高田富男ヲ呼ビ置カレ度シ
四、（鈴木）石井君ノ[illegible]報ノ事務費ハ官有物（總督府財產）ナラ

昭二〇、二、二二発電（十ノ二九）

總務長官名

須田長官代理宛

本府受理ノ總長ヨリノ電信ニテ依頼ノ件ニ關シテハ松前遞信院總裁ニ面談シタル結果内地ニ於ケル発信及受信ノ設備ヲ至急強化スル様努力スベキ旨ノ言明ヲ得タリ

臺灣總督府東京經濟事務所

昭二〇、一一、二三 午後二時卅分

定時通話

送話者 鈴木文書課長
齋藤秘書官

(問)

一、長官ノ引揚帰還ノ件ニ陳儀行政長官ヨリ更ニ改メテ一般ノ帰還ヲ要求スル等何等カノ方法ヲ講ゼラルル様切望ス

二、(イ)明日ノ定時通話ニ外事部長ニ出テ貰ヒ度 長官通話ス

(ロ)総督要求電報ノ發信月日及宛名ニ付

(答)

一、一般引揚ノ件 政治的折衝ヲ為ス

二、明日ノ定時通話ニ外事部長ヲ出ス

三、予算要求ノ電報ハ十一月八日総督宛ナリ

四、尚予算要求ニ付キテ(別紙)決裁理事長ヨリ

臺灣總督府

タイプライター用紙半截

(日本標準規格 B5)

（別紙）豫算要求ニ関スル（中村理事談）

方針 台湾総督府及朝鮮ハ共ニ廿二年三月迄精算セラルルコトトシ其ノ俸給費、手当、借家料ノ予算ヲ計上セラレ度。

一、現在ノ予算定員ノ三分ノ二ヲ組ムコト（三分ノ一ハ台湾省政府ニ引継ギ使ハルルモノトス）

二、俸給ノ外ニ本俸加俸ヲ合シタル金額ノ三ヶ月分ノ物價手当ヲ計上スルコト

三、二十年度予算未配当四ヶ月分及物價手当五ヶ月分（十二月ヨリ）

四、二十一年度俸給及物價手当ハ一ヶ年分全額

右ニ依レバ（廿年度 二六七八八万円
廿一年度 一五六九四万円）

本件大蔵省主計局台湾係村上事務官、川瀬事務官ニ連絡シ作製スル

格段取計ヒアリ度

臺灣總督府

タイプライター用紙半裁

（日本標準規格 B5）

昭二〇、一一、二七、発電

総務長官

殖田長官代理宛

台湾官民引揚ニ関スル件

当地台湾官民ノ一部ハ最近各地ニ於テ不穏ノ動キニ出デツヽアリ（例ヘハ基隆台湾同郷会ノ手ニ依ル本府基隆事務所ノ不法占拠、高雄工廠窓ノ掠奪等ノ外、流言強盗、陸海軍人員、官ノ騒擾、其ノ他幾多ニトモナヒ発生シツヽアリ）此ノ侭推移スルトキハ不測ノ不祥事件勃発ノ虞レナシトセズ 故ニ最悪ニ處スル場合ヲ政府トシテ本問題ハ保護対策ヲ実施セントスルモ根本的解決策ハ速カニ台湾引揚ヲ実現スルコトニ外ナラザルニ付陳儀長官閣下ヲ通シテノ中華民国ノ本島人受入方針確立方ニ付万全ノ御尽力ヲ煩度 尚右諒解運動ノ進捗状況折返シ御回報相成度

昭二〇、一二、一 午後二時受

宮崎四郎

連絡局 鈴木文書課長
高橋秘書殿

一、（鈴木）総督進退伺ノ件 返電セラ
大意ハ「其ノ儀ニ及バズ 東京ニテ当面ノ仕事ヲヤツテ貰ヒタイ」

二、（鈴木）催報シタルモ文教局長代理森田 人事課長代理鈴木文書課長ニ関シ返電貰ヒ度

（二月二日、電報及電話ニテ返シタルモノナリ）

臺灣總督府

タイプライター用紙半裁

（日本標準規格 B5）

[illegible]

昭二〇、十二、一、着電

成田総務長官宛　台湾逓信部長発

電報訳文

十一月二十二日中国接収員ヨリ従来郵便局ニ於テ取扱ヒ居ル債券元利金支払、国債買上及年金恩給預金ノ支払ハ当地日銀資金関係上爾今停止アリ度キ旨通知アリタリ　斯クテハ年金恩給受給者ノ如キ概ネ別ニ収入ノ途ナク今後ノ生活ハ真ニ憂慮セラル、之カ善後策考究中ナルモ貴方ニ於テモ至急何分ノ御配慮願上度シ

臺灣總督府東京出張所

昭二〇、十二、四、受

小菅元交通局総長

成田一郎宛

御帰任遅レ残念ナルモ目下当地格別異状ナク多少ノ問題アルモ治安保タレ接收
殆ンド完了シ同胞相互救済ヲ目的トスル日本人會結成ノ件ノ外特ニ御帰台ヲ
急グ要係ナキヤニ認メラル」海軍ヲ主体トシテ沈没船引揚ノ上軍隊其ノ他日本人
帰還ニ使用スベク「マ」司令部ノ承認ニ九船ノ内大賀丸（約七千噸）概ネ竣成
来年一月中旬ニハ内地ニ向フ予定」
小官当地ニ於ケル大体ノ任務終了セルヲ以テ御連絡ノ為便乗帰還ノ上見込アレバ
来ルベキ衆議院議員選挙ニ香川縣ヨリ立候補シタキモ内地ノ情勢不明
御高見御回示御願ヒ申上グ」

昭二〇、十二、九、亜条、発

成田副部長發

台湾地区日本官兵善後連絡部

須田副部長代理宛

三日付「司令部ヨリ戦争犯罪容疑者トシテ逮捕方指令アリタル五九名中台湾関係者トシテ小林躋造、石田乙五郎、納見敏夫、上砂正七、畑俊六、下村宏等ノ名アリ右ノ内上砂氏ハ在台中ナルモ同氏ノ上京ニ当リ台湾ヨリ飛行機ヲ使用スルコトアラズバ小官ノ帰台ノ件ニ付キ右飛行機ノ利用方御配慮ヲ請フ

昭二〇、十二、四、亜条、五日發

成田副部長發

台湾地区日本官兵善後連絡部

須田副部長代理宛

官吏制度改正ニ関スル方針ニ付キ内務次官ヨリ参考迄通牒アリタリ、要旨左ノ通「十一月二十二日附内發二二七號」一、「官名ノ統一」官名ハ事務系統及技術系統別ニ概ネ同一官名トス、例ヘバ事務系統ハ何々（省）事務官、技術系統ハ何々（省）技官ノ如ク同一名ニ統一スルト但一官一職ヲ相当トスル官及其他特殊ノ官名ヲ除ク」二、官ト職トノ分離」従来官トセラレタル部局長等ハ之ヲ職名トシ

職ノ授與ハ補職ノ方法ニ依リ之ヲ行フコト　補職ハ所管長官限リ之ヲ爲ス場合ト上奏裁可ニ依リ之ヲ爲ス場合トハ區別スルコトヲ要ス」

三、勅任奏任判任ノ區別ヲ撤廢シ同一官名トスル（前掲一、但書特甲任ト）ト共ニ官等及級制ヲ簡素化シ例ヘバ一級乃至三級ノ三種ノ如クスルコト　其場合一級ハ現在ノ勅任級二級ハ現在ノ奏任級三級ハ判任級トシ現在ノ任用資格規定ヲ進級資格規定トシテ適用スルコト」

四、俸給制度ノ統一」官等級ニ關係ナキ單一ノ俸給制度トシ　勤務ノ年限及成績ニ依リ同一ノ職ノ儘高級俸ニ至リ得ル如クスルコト」

五、官吏更迭ヲ抑制スルコト」

六、高等試験制度ノ改善」(イ)試験科目ノ再檢討、幹部職員タル一般的能力判定ノ外將來其ノ者ノ奉職セントスル官界ノ職域ニ必要ナル科目ヲモ加ヘ適材適所主義ヲ期ス(ロ)試験委員ニ官民ノ實務出身者ヲモ加フ」

(ハ)試補制度ノ設置」

七、官吏研修教育機關ノ設置」

八、信賞必罰ノ勵行ト監察制度及考科表制度ヲ設クルコト

写

大日本帝國政府

丙第二二七七號

昭和二十年十月二十二日

内務大臣

臺灣總督府總務長官殿

本日官吏制度改正ニ関シ別紙寫ノ通通牒セラレ候條參考迄及送付候

(国定規格B5 一八二×二五七粍)

東・東

官吏制度改正ニ関スル件

一、官名ノ統一

一官一職ヲ相當トスル官其ノ他特殊ノ官ヲ除キ官名ハ事務系統及技術系統別ニ概ネ同一官名トシ例ヘハ事務系統ノ官ハ「何々(省)事務官」技術系統ノ官ハ「何々(省)技官」ノ如クスルコト

二、官ト職トノ分離

官ト職トヲ分離シ從來官トセラレタル部局長等ハ之ヲ職名トシ職ノ授與ハ補職ノ方法ニ依リ之ヲ行フコト

(備考)

補職ハ其ノ職ノ輕重ニ應シ本屬長官限リ之ヲ為ス場合ト上奏御裁可ニ依リ之ヲ為ス場合トヲ區別スルコトヲ要ス

三、高等官及判任官ノ區別ノ撤廢ニ官等等級ノ制ノ簡素化「一官職ヲ相當トスル官其ノ他特殊ノ官ヲ除キ勅、奏、判ノ區別ヲ撤廢シテ同一官名トスルト共ニ官等等級ノ制ヲ簡素化シ例ヘバ一

級乃至三級ノ三種ノ如クスルコト

（備考）

若シ官等等級ヲ一級乃至三級ノ三種トセル場合ハ

（イ）概ネ一級ハ現在ノ勅任級、二級ハ現在ノ奏任級、三級ハ現在ノ判任級ノ官トシ現在ノ任用資格ニ関スル規定ヲ同時ニ進級資格ニ関スル規定トシテ之ニ適用スル如キ方途ヲ講スルノ要アリ

（ロ）三級ノ官ニ任用スル場合ハ現在ノ判任官ノ任用手続キニ準スル扱トシ二級又ハ一級ノ官ニ任用シ又ハ進級セシメル場合ハ現在ノ奏任官又ハ勅任官ノ任用ノ手続ニ準スル扱トスルノ要アリ

四、俸給制度ノ統一

俸給制度ハ官又ハ官等ニ伴ヒ区々ト為リ居ル現行制度ヲ改メ原則トシテ官又ハ等級ニ関係ナク成ルベク単一ノ俸給制度トシ勤務ノ年限及成績ニ依リ同一ノ職ノ儘高級俸ニ至リ得ル如クスルコト

（備考）
上記官ト職トノ分離及補職制ノ採用ニ伴ヒ職務俸ノ制度ノ擴充ヲ考慮スルノ要アルベシ

五、官吏更迭ノ抑制

官吏ノ頻繁ナル更迭ヲ抑制スル爲例ヘハ官吏ハ一定ノ期間同一ノ職ニ止ムベキモノトスルノ原則ヲ確立スル等ノ方途ヲ講スルコト

六、高等試験制度ノ改善

官吏ノ任用ガ資格試験ニ依ル任用ヲ原則トスル現行制度ハ之ヲ維持スルモ併セテ銓衡任用ノ制度ヲ擴充スルト共ニ行政科及司法科ノ高等試験ニ付テハ左ノ諸点ニ付改善ヲ考慮スルコト

(一)試験科目ヲ再検討シ其ノ劃一的傾向ヲ排シ幹部職員タル一般的能力ヲ判定シ得ルノ外将来其ノ奉職セントスル官界ノ職域ニ必要ナル科目ヲモ加ヘ之ニ應ズル能力ヲモ判定シ得ル如クシ以テ適材ヲ適所ニ登用シ得ルノ途ヲ擴ムルコト

(二)試驗委員ハ現在主トシテ專門ノ學校敎員中ヨリ任セラルル傾向アルヲ改メ相當數ノ官民ノ實務家ヲモ加ヘ學理及實際ノ両方面ヨリ試驗ヲ施行スルガ如クスルコト

(三)高等試驗制度ト並行シ試補ノ制度ヲモ研究スルコト

七、官吏研修制度ノ設置

新ニ官吏研修ノ機関ヲ設ケ又ハ大學等既存ノ教育施設ヲ利用スル等ノ方法ニ依リ官吏ニ對シ數ケ月間研修ヲ受ケシムルト共ニ一定期間民間ニ於ケル實際企業事務等ニ從事セシムルガ如キ制度ヲ考慮スルコト

(備考)

三級官吏ガ二級官吏ニ進級シ、二級官吏ガ一級ニ進級スル場合ハ原則トシテ上記研修ヲ受ケタルコトヲ要件トスルガ如キコトモ考慮シ得ベシ

八、信賞必罰ノ励行ト監察制度及考科表制度

一、内閣及各省ニ監察官ヲ置キ部内職員ノ執務ノ能率勤惰其ノ他事務處理ノ實況ヲ考査セシメ信賞必罰ヲ励行スルト共ニ併テ官庁事務ノ能率向上職員ノ福利増進ニ関スル事項ヲモ調査立案セシムルコト

（備考）

監察官ハ部内ノ官吏ヲ以テ充ツル外特ニ民間ノ逸材ニ委嘱シ得ルノ途ヲ拓クコトモ考慮シ得

二、内閣及各省ハ部内ノ二級以下ノ官吏ニ付考科表制度ヲ設ケ考科表ハ概ネ年二回作成スルコトトシ當該官吏ノ直近ノ上官（課員ナル者ニ付テハ課長、課長ナル者ニ付テハ部局長ノ如シ）ニ於テ自ラ記入シ記入者ノ直近ノ上官ニ於テ之ヲ査閲シ必要ナル記入ヲ為シ得ルモノトシ進級昇給賞與其ノ他ノ待遇ハ主トシテ考科表ニ基キ之ヲ行フモノトスルコト

大日本帝國政府

考科表ノ様式及記載項目ハ充分科学的且合理的タラシメ之カ記入ニ不公平ナルコトナキ様考慮スルコト

（折上リ國定規格B5一八二×二五七粍）東東一一三七

昭二〇、十二、六、着　安藤台湾地区連絡部長發

成田副部長宛

電譯

十一月三十日電話ニ依ル御申越ノ件諒承シタルモ勿論其儀ニ及バザルモノト存ズ　廿七日附須田長官代理ヨリ前電ノ如ク此際今後益〻多忙ナラントスル台湾関係ノ東京ニ於ケル諸重要事項ニ付貴官ノ御努力ニ特ニ期待スル次第ナリ　尚貴官一行ノ帰台ニ就テハ当方ニ於テモ引続キ努力スル豫定候

昭二〇、十二、六、發

安藤台湾地区連絡部長宛　成田連絡副部長發

電案

御懇電ニ接シ恐縮ノ至リニ不堪候　御指示ニ従ヒ今後一層精励御奉公ノ誠ヲ效シ以テ御懇志ニ報ユル所存ニ有之　何卒相変ラザル

臺灣總督府東京出張所

臺灣總督府東京出張所

御指導御鞭撻ヲ願上グ」尚小官等一行ノ帰台ニ付キテモ引続キ
格別ノ御配慮ヲ御願ヒ申上グ」

昭二〇、十二、六、発

総務長官発

小菅交通局総長宛

貴電拝承」各方面ノ努力ニモ不拘帰任ノ見込立タズ遺憾ニ堪エズ
今後共帰台ノ実現ニ御尽力ヲ乞フ」事務連絡ノ為引揚船ニテ帰還セ
ラルル事ハ当方ニ於テモ望ムトコロナリ」選挙法改正案ハ目下衆議院
ニ於テ審議中ニシテ予定ノ通リ十二日迄ニ成立スレバ総選挙ハ一月中旬行
ハルルコトトナルベシ　従ッテ立候補セラルルコトハ時日ノ関係ニ於テ困難ナルヤニ
存セラル」沼越氏ニ宜敷御伝言乞フ」

昭二〇、十二、七、受

臺灣地區須田代理副部長發

電譯

成田副部長宛

本府接收ノ経過ニ関スル件ハ前電御報シタル如ク十一月一日本府ノ接收開始セラレ主要部局ハ即日交替ヲ了シ爾後圓滑ニ引継進行中ノ処未接收ナリシ官房ノ秘書、人事、文書及外事部ハ十一月二十八日正式ニ接收行ハレ之ニ依リテ十一月中ニ概ネ接收完了シタル次第ナリ

今其ノ跡ヲ概観スルニ

一、本府ノ統治上ノ行政权限ハ十一月一日ヲ以テ全ク長官公署ニ移行シタルコト

二、本府職員ノ大多数ハ所属局課ノ性質ニ應シ夫々長官公署ノ該当各處課ニ一應徴用セラレタルコト

三、本府特別會計財源、手持資金並支出权限ハ総テ長官公署ニ移行シ我ガ方ノ特別會計トシテハ完全ニ其ノ機能ヲ喪失シタルコト

四、各局課ノ接收ハ夫々ノ性質ニ依リ多少ノ差異アリ財務、農商等ノ

直接行政事務担当局課ハ長官公署ノ該当處課ニ於テ事務、備品ヲ接收シ職員ノ大部分ヲ原則トシテ其ノ配下ニ徴用シタルニ對シ官房ノ一部、外事部等ハ備品ハ接收セラレ本府ノ局課トシテノ事務執行ヲ停止セラレタルモ職員ハ原則トシテ從前通リ善後連絡部ニ残留シテ從來ノ事務ヲ執ル如ク命ゼラレタルコト

五、各局課ガ長官公署ノ所屬ノ使用ニ各個ニ接收セラレ今日ニ於テハ綜合形体トシテノ本府ハ全ク解体ノ上吸收セラレタル結果トナリ残存部分ハ最早單ナル残骸トシテ存シ居ルニ過ギザル状態ナリ

而シテ今後ノ問題トシテハ

一、善後連絡部ノ機構ヲ如何ニ整備シ運營シ事務經費ヲ調辨スベキカ

二、徴用セラレザリシ者及一應徴用セラレタル者モ中国官吏ノ増派本省人ノ新規採用ニ伴ヒ漸次徴用ヲ解除セラルルモノト豫想セラルル處之等ノ者ノ生計ヲ如何ニシテ維持セシムルヤ

三、失職失業、物價高、主人不在等ノ爲ニ生活漸次困窮ニ陥ル一般在留民ヲ如何ニ救濟指導スベキカ

四、引揚民ノ帰還順位、帰還斡旋
五、之ニ必要ナル経費ノ獲得方法
等ナリ目下夫々考究中ニシテ一、ニ就テハ近ク成案ヲ得テ長官公署ノ指揮
ヲ受クル豫定ナルト共ニ二、以下ノ諸点ニ就テハ十一月十八日電報及先日来
定時電話ヲ以テ齋藤秘書官ヲ通シ御連絡シアル一般會計豫算
ノ問題トシテ閣下ノ特別ノ御配慮ヲ煩ヒ度以下不取敢御報ス
尚以上ノ本件局部ノ接收中ニ稍ゝ趣ヲ異ニスル外局並地方廳其他所屬
官衙ノ接收模様ハ追テ御報ス

臺灣總督府東京出張所

昭二〇、十二、八、

〔發 鈴木文書課長
〔受 齊藤秘書官

台北定時電話

一、安井所長ヨリ先日電話ノ麻袋ノ件
食糧協會ナリ、其他詳細ハ能ク調ベタ上返事ス

二、先般来依頼ノ豫算ノ件速カニ進行請フ
副部長代理初メ頭痛ノ種ナリ 最モ重要ナル問題ナリ、

三、（齊藤ヨリ）
別ニ電報シタル如ク「マ」司令部ニテハ近ク内台ノ輸送許可ヲナス方針ナリ
之ヲ利用シ得ルナラバ豫算関係ニテ主計課長ノ上京請フ

（鈴木返）
主計課長ハ不可能ナルモ財政通ヲ上京用意セシメ置ク様取計フ

昭二〇、十二、十、受

成田副部長宛　　須田代理発

電報譯

終戦後ニ於ケル本府ノ残務整理ニ要スル経費及在台日本人救済費ニ付テハ當面財務局ヨリ電報及電話ニテ御連絡致シ居ルモ財政ノ全面的接収ヲ見ル今日ニ於テハ善後事務ノ遂行上焦眉ノ重要問題ナルヲ以テ今臨時議會ニ於テ一般會計ニ計上方関係当局ト御折衝ノ上是非実現セラルル様御盡力御願申上グ」

昭二〇、十二、十、P.M.二、三〇、

台北定時通話

連絡者（西村文教局長
鈴木文書課長）

「一、豫算ノ件」不明ノ点ハ電話ニテドシドシ質問シ是非実現ニ努メラレタシ
現在経費全クナク困窮シアリ

「二、長官帰台ノ件」相当困難ナリ

三、（西村局長ヨリ）在日学生ノ立替費送金方氏名通知ノ件ハ右該当者ノ氏名金額通知アリタシ

臺灣總督府

タイプライター用紙甲蔵

（日本標準規格 B5）

昭二〇、十二、十一、
台北定時通話。

連絡者（鈴木文書課長
　　　（萩原総務官

一、豫算ニ付テ
特別會計接收ノ結果及物價騰貴ノ為職員ノ生活困難ヲ極メツヽアリ
出張所ノ全力ヲ擧ゲテ早急ニ実現化ヘ努力セラレタイ
✓送金ノ件ニ付テハ中国側ヨリ立換ヲ受ケル便宜ヲ得ラルヽ見込デアル
各地方費モ完全ニ接收セラレタリ
現在職員ノ約三分ノ一ハ中国政府ニ雇傭セラレ居ルガ之ニ対スル物價手当ハ
大体左記標準ニテ支給セラレアリ　参考ノ為、

一、勅任、　七五〇円程度　（月額）
二、奏任　六五〇円　程度　（〃）
三、判任　六〇〇円　程度　（〃）
四、雇員　四〇〇―三〇〇円程度　（〃）

出方ヨリノ通話事項ナシ

昭二〇、十二、十二、發

台北市表町台湾商工経済會内
河村 徹 宛

成田連絡副部長

曩ニ在日台湾島民援護ニ関スル貴電拝承 本件ニ関シテハ本部トノ連絡ノ下ニ関係各省ニ折衝シ萬全ノ努力ヲ爲シ来リタルカ最近ニ至リ聯合軍司令部ニ於テモ近ク台湾人ノ帰台ヲ許可スル意向トナリタルコトハ本部宛通電シタル通リニシテ之ガ実現遠カラザルモノト存ズルニ付御諒承請フ」 尚小官ノ帰台ニ関シテハ御承知ノ如ク九月末官吏ノ内外地来往禁止セラレテヨリ本部ト連絡シテ真剣ナル努力ヲ続ケ来リ十一月中旬ニ至リ漸ヤク帰台飛行許可指令ヲ得テ将ニ其ノ実現ヲ見ントスル日ニ至リ台湾側ノ情勢ノ変化ニ依リ停頓シ未ダニ之ガ実現ヲ見ザルハ実ニ遺憾ノ極ミナルモ更ニ之ガ実現ヲ期シツツアリ、民間各位ニ宜シク御傳ヘ請フ」

昭二〇、十二、十三、

台北電話連絡事項

連絡者 鈴木文書課長
萩原税務官

一、台湾軍参謀長ヨリ成田長官ヘ傳言
帰台ノ件ニ付キ尽力方依頼電報頂キ折角努力セルモ諸般ノ情勢上帰台ノ見込薄トナリタルニ付遺憾乍ラ右ノ旨長官ニ御傳ヘ請フ

二、豫算ノ件 未ダ大蔵省ト正式交渉シ居ラザル模様ナルモ内務省交渉ト併行シテ直接大蔵省ト話合ニ交渉、全力ヲ挙ゲテ実現ニ努メラレ度 尚所長ヨリ毎日電話ニテ進行模様通知セレ度

三、在日本島人帰還ノ件
右引揚船内地出帆豫定日判明セバ至急通知アリ度

三、在京職員ノ在台家族ノ安否ニ付キテハ別条ナシ
事故アラバ其ノ都度通報スルニ付 御含アリ度 個々ノ照会等ハ不要ナリ

臺灣總督府

タイプライター用紙半截

（日本標準規格 B5）

昭二〇、十二、十四、午後二時半

台北定時通話

連絡者（河村事務官
　　　　齋藤秘書官）

一、豫算ノ件（河）大蔵省トノ折衝進ミタルヤ

（齋）内務省ニテ朝鮮台湾ノ分ヲ取纒ムルモノニ付未ダ大蔵省トノ折衝ニ到ラズ

二、在日台湾人引揚船舶ノ件

（齋）海軍関係艦船四隻ヲ以テ輸送開始シ唯今運輸省ヨリノ通報ニ依レバ一隻ハ既ニ出発セリト、一般民船ハ四隻位一月中旬ヨリ就航豫定ニテ申請手続中、詳細ハ電報ス

三、在台邦人引揚ノ件

（河）在台邦人引揚ハ陸軍六、海軍三、其他一ノ割合ニテ輸送スルコトニ決定シアリ

昭二〇、十二、十五、發

成田連絡副部長發

須田代理副部長宛

電　案

在日本台灣人帰還輸送船出發左ノ通確定セリ

一、十二月十七日浦賀發長運丸（高座海軍工廠工員一、五〇〇名乘船豫定）

二、十二月十八日鹿児島發夏月十六時半（佐世保鎮守府ニ収容中ノ海軍復員、工員等六〇〇名乘船ノ豫定）尚引続キ決定出發スル見込ニ付決定次第後報ス

○

昭二〇、十二、十四、午後三時半

◎台灣向海軍艦船調査　齋藤秘書官

（第二復員省渡辺艦船運航課長ニ就キ調査）

一、確定ノ分

十七日　浦賀發　長運丸　高座ノ者　一、五〇〇人ノ豫定

十八日　鹿児島發　夏月、　針尾ノ者　六〇〇人ノ豫定

二、未定ノ分（豫定）

鹿児島發　筑紫丸……二〇日迄修理ニ掛ル

仝　海防四四號

（附）運營會ノ船トシテハ　北鮮丸
日昌丸　ノ二八就航決定セル筈

○

昭二〇、十二、十四、午後一時半

◎海運総局運航課長（壺井）ヨリ通報

（受）斉藤秘書官

台湾向配船

一、海軍関係　四隻　排水量四、二四三頓ノ配船ヲ為シ一ケ月三八五〇人ヲ輸送ス、詳細ハ第二復員省運航課ニテ取扱中、其ノ第一船ハ出發セリ、（但　極秘トナシ置カレ度シ、台湾人殺到スル為）

二、一般民船

臺灣總督府

タイプライター用紙半截

（日本標準規格 B5）

一般民船ハ一月中旬ヨリ四隻配船ノ豫定（之カラ申請スルモノナリ）

豫定

日昌丸	六、五二六噸	三、〇〇〇人
辰春丸	六、三四〇噸	三、〇〇〇人
永徳丸	六、九二三噸	三、〇〇〇人
大郁丸	六、八八六噸	三、〇〇〇人
北鮮丸	二、二五六噸	一、五〇〇人

昭二〇、十二、十五、

定時通話事項

○台湾物価

米一斤 七円〇〇
醤油一升 八、〇〇
豚肉一斤 二四、〇〇
雞卵一個 三、〇〇
大根一斤 〇、九八
白絞油四合 三四、〇〇
バナナ一斤 二、一七
洋服（公定価格五十円位ノモノ） 一、五〇〇、〇〇円
シャツ（公定価格四円位ノモノ） 一四〇、〇〇

蚊帳（公定価格十五円三十銭位ノモノ） 五五〇、〇〇
マッチ一個 六、五〇
コークス一斤 〇、三〇
木炭一斤 〇、七七
石鹸一個 三、五〇
蚊取線香一箱（小） 三、四〇

物価指数（公定価格ニ対シ）

食料品 一一、八
衣料品 一六、八
燃料 一一、〇
金属製品 二五、三
雑品 八、九
家賃 一、八

昭二〇、十二、十八、

連絡者 〔文書課長 / 安井所長〕

定時通話事項

一、（安井ノ向ニ対スル鈴木通）台湾ヨリノ引揚船ニハ一般在留民ハ特別ノ者極メテ少数ノミ乗船スルコトヽナル予定。中国側ニテハ「軍人優先」ノマヽ司令部指令ヲ固持シ一般民ノ乗船ヲ後廻シニスル方針ナリ、此ノ点ニ関シテ目下中国側ト折衝中、

二、予算担当者モ出来ル限リ上京セシムル様致度、

三、総督府ハ接収セラレ全ク無キモノト考ヘラレ度、極少数ノ者ノミ中国側及東京トノ連絡ニ当リツヽアルニ過ギズ中国側ニ徴用セラレル職員モ続々免職セラレツヽアリ、

四、長官及邸（川端町）モ中国側ニ追出サレタリ、尚官吏ガ市中ニ借家中ノ家屋モ中国側官吏ト交替セシメラレタルモノ多シ

五、（安井ヨリ）台湾人輸送船ノ件、
二〇日 基隆入港 夏月 六〇〇〇人
二三日 〃 長運丸 一五〇〇人
二四日 〃 海防四號 二七〇人

六、（安井ヨリ）日本樟脳、南日本塩業ノ接収セラレタリヤ否ヤ通報請フ

第　號

接受　昭和　年　月　日
起案　昭和　年　月　日

施行　昭和　年　月　日
決裁　昭和　年　月　日
淨書
校合
發送

總督

總務長官

長

秘書官

電報案

總督宛

斉藤秘書官

昨二八日ノ電話通報ニ依リ總務長官ノ赴任ハ一応不可能トナリタル趣拝承シ痛恨ニ堪ヘズ、着京後今日ニ至ル二ケ月間閣下格別ノ御配慮ノ下微力ヲ盡

臺灣總督府

シ漸ク販任許可指令ヲ得テ飛行機ニ対スル燃料補給、乗務員ノ宿舎及食事ノ準備等萬端整ヒタルニ遽カニ此ノ悲報ニ接シ痛嘆ノ極ナリ、此ノ間ニ於ケル閣下ノ御盡力ニ対シ衷心ヨリ御礼申上ゲルト共ニ總務長官随行補助者トシテ事茲ニ至ラシメタルハ慚愧ニ堪エズ、茲ニ謹シテ御詫ビ申シ上ゲ小官ノ進退ヲ伺ヒ奉ル、

A-1 (B) copy

TO: OFFICE OF THE SUPREME COMMANDER FOR THE ALLIED POWERS

FROM: Central Liaison Office, Tokyo

C.L.O. No. 164 5 October 1945

1. Mr. Ichiro Narita, Vice Governor-General of the Government of Formosa, and his three assistants have come to Tokyo by plane on September 20th with the consent of the Supreme Allied Headquarters in order to consult with the Central Government authorities, but are still unable to return to their posts since all traffic between Japan Proper and Formosa is now suspended.

The Vice-Governor (or Director-General of General Affairs) is the highest civil official of the Government of Formosa because the post of Governor-General is held concurrently by the Commander of the Formosan Army. His absence, therefore, is most unfortunate especially at the present time with respect to the carrying out of the stipulations of the Potsdam Declaration in Formosa. The other three officials are his indispensable assistants, whose names are:

Mr. Tokuichi Nishimura, Director of the Bureau of Education
Mr. Shigeru Saito, Secretary to the Vice-Governor-General.
Mr. Tsukasa Miura, subordinate secretary

2. The Japanese Government desires therefore to request the Supreme Allied Headquarters that an airplane flight be allowed from Taihoku to Fukuoka on the following schedule in order to take back these four officials as soon as possibleto their posts.

Date	Time of Departure	Time of Arrival
October 7	13.00 Taihoku	17.00 Fukuoka
" 8	9.00 Fukuoka	13.00 Taihoku

Type of the airplane Heavy bomber, type 97-2

FOR THE PRESIDENT,

Nobuhiko Ushiba,
Liaison Officer,
Division V,
Central Liaison Office.

2

copy

TO : THE OFFICE OF THE SUPREME COMMANDER FOR THE ALLIED POWERS

FROM : Central Liaison Office, Tokyo.

SUBJECT : Flight of Four Japanese Officials to Formosa.

C.L.O. No. 361 (5) 31 October 1945

With reference to the Memorandum (C.L.O. No. 164) dated October 5, 1945, in which the Japanese Government requested the Office of the Supreme Commander for the Allied Powers that an airplane be allowed to fly from Fukuoka to Taihoku in order to take Mr. Ichiro Narita, Vice-Governor-General of the Government of Formosa and his three assistants back to Formosa, the Japanese Government is now informed through the former Headquarters of the Japanese Expeditionary Force in China that the Chinese Government desires the presence of the above-mentioned four persons in Formosa and intends to request the approval of the General Headquarters for their return by airplane.

In this respect the Japanese Government begs to ask the General Headquarters for the Allied Powers that prompt permission be given to the four officials in question to return to Formosa by airplane when the above-mentioned request of the Chinese Government should be brought to the attention of the General Headquarters.

FOR THE PRESIDENT,

(S. Iguchi)
Director of General Affairs
Central Liaison Office.

③ copy

TO : OFFICE OF THE SUPREME COMMANDER FOR THE ALLIED POWERS

FROM : Central Liaison Office, Tokyo.

SUBJECT: Flight of Four Japanese Officials to Formosa.

C.L.O. No. 535(5) 10 November 1945

With reference to the Memorandum C.L.O. No. 361(5) dated October 31, 1945, concerning the flight to Formosa of Mr. Ichiro Narita, the Vice-Governor of Formosa, and three other officials, the Japanese Government was informed by telephone on November 9 by the Japanese authorities in Formosa that the Chinese authorities there are ready to send a Chinese airplane to Japan in order to fetch the four officials in question in case they are not allowed to take an Allied plane flying from Japan to Formosa.

This information is submitted herewith to the Supreme Commander for the Allied Powers for consideration, as the four officials in question hope most earnestly to return to Formosa as soon as possible.

FOR THE PRESIDENT,

(S. Iguchi),
Director of General Affairs,
Central Liaison Office.

copy 4

To : General Headquarters of the Supreme Commander for the Allied Powers

From : Central Liaison Office, Tokyo.

Subject: Flight of Four Japanese Officials to Formosa.

C.L.O. No. 601(5) 16 November 1945

With reference to the Memoranda (C.L.O. No. 164 dated October 5, 1945, ~~and~~ C.L.O. No. 361(5) dated October 31,1945, and C.L.O. No. 535(5) dated November 10, 1945) concerning the flight to Formosa of Mr. Ichiro Narita (the former Assistant Governor-General of Formosa, now the assistant director of the Liaison department of Formosa authorized by the Chinese Government) and three other officials, the Japanese Government was informed by telephone on November 16 by the Japanese authorities in Formosa (the former Governor-General Rikichi Ando) that the Chinese authorities there (Governor-General Chen Yee) are ready to send a Chinese aeroplane to Japan in order to fetch the four officials in question as per the under-mentioned schedule. In this respect the Japanese Government earnestly requests the General Headquarters for the Allied Powers that these four officials be allowed to board the Chinese aeroplane.

Date	Time of Departure	Time of Arrival
November 20	7.00 Taihoku	13.00 Gannosu (Fukuoka)
November 22	7.00 Gannosu (Fukuoka)	11.00 Taihoku

Type of the aeroplane: Chinese heavy bomber, type 97-2.

Mark: Chinese mark on both sides of the fuselage and wings.

For the President,

T.K.
for (S. Iguchi)
Director of General Affairs,
Central Liaison Office.

copy (5) 5

TO : GENERAL HEADQUARTERS OF THE SUPREME COMMANDER FOR THE ALLIED POWERS

FROM: Central Liaison Office, Tokyo

SUBJECT: Flight of Four Japanese Officials to Formosa.

C.L.O. No. 601(5) 17 November 1945

With reference to the Memoranda (C.L.O. No. 164 dated October 5, 1945, C.L.O. No. 361(5) dated October 31, 1945, and C.L.O. No. 535(5) dated November 10, 1945) concerning the flight to Formosa of Mr. Ichiro Narita (the former Assistant Governor-General of Formosa, now the assistant director of the Liaison department of Formosa authorized by the Chinese Government) and three other officials, the Japanese Government was informed by telephone on November 17 by the Japanese authorities in Formosa (the former Governor-General Rikichi Ando) that the Chinese authorities there (Governor-General Chen Yee) are ready to send a Chinese airplane to Japan in order to fetch the four officials in question as per the under-mentioned schedule. In this respect the Japanese Government earnestly requests the General Headquarters for the Allied Powers that these four officials be allowed to board the Chinese airplane.

Dates	- Routes -
November 20........................	Taihoku - Kanoya - Atsuki
November 21	Atsuki - Kanoya - Taihoku

Type of the airplane : Chinese heavy bomber, type 97-2

Mark: Chinese mark on both sides of the fuselage and wings.

FOR THE PRESIDENT,

(S. Iguchi),
Director of General Affairs,
Central Liaison Office.

Copy

AG 373.5 (18 Nov 45)GD

18 November 1945

MEMORANDUM FOR: IMPERIAL JAPANESE GOVERNMENT.

THROUGH : Central Liaison Office, Tokyo.

SUBJECT : Flight of Four Japanese Officials to Formosa.

1. Reference is made to memoranda numbers 535(5) dated 10 November 1945 and 601(5) dated 17 November 1945, subject: "Flight of Four Japanese Officials to Formosa".

2. Clearance has been granted for flight of one heavy bomber, type 97-2 with Chinese National Markings to proceed from Formosa to Kanoya Airfield thence to Atsugi Airfield on 20 November 1945 and return to Formosa on 21 November 1945. Service will be furnished at both Kanoya Airfield and Atsugi Airfield.

FOR THE SUPREME COMMANDER:

H.W. ALLEN,
Colonel, A.G.D.,
Asst. Adjutant General.

Copy

TO : GENERAL HEADQUARTERS OF THE SUPREME COMMANDER
FOR THE ALLIED POWERS

FROM : Central Liaison Office, Tokyo

SUBJECT : Return of Four Japanese Officials to Formosa

C. L. O. No. 1279 (5.1) 22 December 1945

The Japanese Government requests the General Headquarters to be good enough to refer to C. L. O. No. 164, dated 5 October 1945 and the subsequent series of notes concerning the flight to Formosa of the following four Japanese officials:

Mr. Ichiro Narita, Vice-Governor-General of the former Governmentof Formosa.

Mr. Takuichi Nishimura, Director of the Bureau of Education.

Mr. Shigeru Saito, Secretary to the Vice-Governor-General.

Mr. Tsukasa Miura, subordinate secretary.

The flight of these four officials to Formosa was granted by the General Headquarters' Memorandum AG 373.5 (18 Nov 45) GD, dated 18 November 1945, but they failed to fly to Formosa because the scheduled airplane from Formosa has failed to arrive.

Now, as shipping facilities have become available for Formosa, the Japanese Government wishes to request that the General Headquarters kindly permit these four officials to take one of the repatriation ships which will be sailing in the near future from Japan to Formosa.

FOR THE PRESIDENT:

(S. Iguchi)
Director of General Affairs,
Central Liaison Office.

政務長官渡台不許可ノ件

外務省収 台湾総督府出張所

GENERAL HEADQUARTERS
SUPREME COMMANDER FOR THE ALLIED POWERS

AG 091.1 (31 Dec 45)GD 31 December 1945

MEMORANDUM FOR: IMPERIAL JAPANESE GOVERNMENT

THROUGH : Central Liaison Office, Tokyo.

SUBJECT : Return of Four Japanese Officials to Formosa.

1. Reference is made to CLO No. 1279(5.1) of 22 December 1945.

2. In view of the fact that the Chinese Government has indicated that it does not desire to have these individuals return to Formosa, the request to use repatriation ships for this purpose is not approved.

FOR THE SUPREME COMMANDER:

H.W.ALLEN,
Colonel, A.G.D.,
Asst. Adjutant General.

Received: 31 Dec 4:35 p.m.
Shukan : 5 Bu-1ka
Copy : Somubucho
3 Bu-2ka

斉藤秘書官ニ手交十七日

五卩一三課

九、二〇 夜着京、
二一 逓信部出張員ニ飯台飛行機搭乗申込、
逓信部長ヨリ何等返答ナシト。
台銀券輸送用トシテ 二五日、二九日、十月五日申請シアリト。
二二 台銀券輸送拒否サル
二三 航空局ヘ長官飯台用飛行機特別申込
二四 ・航空局ヨリ長官飯台用飛行許可ノ報、提出
九月二八日 松戸―福岡 ― 長官一行四名
二九日 福岡―台北 ― 北学ヲ加ヘ
十月三日 台北―福岡 ― 内務省 二名
四日 福岡―松戸 ― 上山台銀
8名
二六 ・日程予定、古屋理事官ニ通報。
福岡県知事ニ旅館等手配依頼。
二七 軍人及官吏ノ内外地往復禁止令(聯合軍最高司令部)
・日程延期、古屋理事官ニ通報。
「マ」司令部ノ照会ニ対シ、中国政府ヨリ「爾今中国政府ノ要求スル人物以外ハ渡台セシメザル様ニ」トノ申入レアリタリト。
福岡県知事ニ一応延期通報
二八 総督宛電報、飯台要求方手配依頼、
外務省、 〃
(外務大臣ヨリ南京大使館(谷大使)宛手配)
三〇 陸軍省ヘ入電、渡辺公使ヨリ外務大臣宛
本件既ニ支那派遣軍ヨリ台湾軍宛返電アリ、努力スベキモ何分司令部ノ対外連絡抑圧方針ニヨリ実現極メテ困難ノ見込ミト

臺灣總督府東京出張所

一〇、
一、 文書課長ヨリ電話、「支那側ハ「マ」司令部ノ意向ヲ[illegible]来ル」
八、 文書課長ヨリ電報「台湾軍ヨリ支那総軍ヲ通ジ許可方手配中」
二、 終督宛電報、（長官）
　　書力重ネテ依頼
三、 台銀頭取ハ「マ」司令部ヨリ罷免故ニ渡台取止メ、手配（終督宛電報、外務省）
五、 外務省終戦連絡事務局宛帰台許可方手配依頼書提出、
　　（中ロノ要求未到着ノタメ日附変更）
五、 「マ」司令部宛帰台許可方事務局ヨリ覚書提出
　　一〇月七日　松戸―福岡
　　八日　福岡―台北
　　九日　台北―福岡
　　一〇日　福岡―松戸
　　長官一行四名、
六、 文書課長ヨリ電話（安井）
　　一〇月七日台北発　八日福岡発ノ台北ノ飛行機アリ、陸軍省ト連絡シ搭乗セラレタシ、
　　（外務省ヨリ事務官二名許可ナク朝鮮ニ渡リ無許可ノ故ヲ以テ抑留セラレタリ）
六、 外事部長宛電報（長官）
　　結局「マ」司令部ニ対スル中ロノ帰台要求ヲ必要トスル故工作乞フ
七、 終督宛電報、当方モ努力中、
六、 終督宛（長官）
　　中ロノ帰台要求ヲ必要トスル故工作乞フ
九、 長官宛、須田局長ヨリ電報、
　　軍司令部ヨリ支那総軍ヲ通ジ逐次交渉中、
　　外事部長ハ高橋書記官ニ対シ交渉中、
　　福岡県知事宛電報
　　飛行機暫ク待機方取計ヲ乞フ

臺灣總督府東京出張所

（日本標準規格 B.4）　東・東 1137

一〇、

一〇、外事部長ヨリ長官宛電報
参謀長トモ協議ノ上目下先方ト折衝中。

一〇、大日本航空会社ノ全面的飛行禁止

一三、終戦連絡中央事務局宛
日本飛行機全面的飛行禁止ニヨリ米軍司令部ニテ
輸送方依頼手続申込

一六、文書課長ヨリ電話（安井所長）
中口ニ対シ参謀長ヨリ申入レヲナシ居ルモ更ニ促進スベシ

一八、秘書課長ヨリ電話（安井所長）
葛敬恩ヲ通シ何将軍ニ交渉中ナルヲ以テ許可アリ次第ハ
飛行機出迎ノ都合モアリ連絡乞フ、先般ノ飛行機帰台セリ

二〇、福岡県知事ヨリ電報
飛行機消息モ無シ帰台セシニ非ズヤト思ハル
福岡県知事ヘノ電報
台北ヨリノ無電ニヨリ帰台セルコト判明、多謝

二二、陸軍省ヨリ連絡（支那派遣軍総参謀長ヨリ次長宛電）
長官一行帰台飛行機二一日附許可アリ中口側ヨリマ元帥司令部

臺灣總督府東京出張所

発通報告

、文書課長ヨリ電話
二一日中口側ヨリ支那将軍ニ対シ「両三日中ニ支那側ヨリマ司令部ニ飯台方要求ス」ト回答アリタリト。

二五. 文書課長ヨリ電話（北京）
飯台艦前ニアリ（全力ヲアゲテ書カセテ）東開ニテ打ツベキ手アラバ連絡セヨ

二六. 須田局長ヨリ電報（長官宛）一部ヲ到着。
二一日中口ノ許可アリタルモ未ダ電話連絡ノ通リ。二四日支那将軍ヨリ左ノ通通知アリ村電ス。
「速カニ飯台接収ヲ処理セシムベキ人員ハ成田、青木、三浦、西村ノ四名ナリ。マ将軍ニ電報スベキ四名ニ対シ速カニ飯台スル様通知スベシ」

二九. 終戦連絡ノ事務局宛願書提出
中口ヨリ直接連絡ナキ理由ニテ未ダ許可ノ無キナラガルモ、十月二四日支那総参ヲ通ジナゴヤ将軍ニハ中口ヨリ電報スルモ四名ニ対シ速カニ飯台スル様通知スベシトノ通知アリタルヲ以テ促進セラル

三〇. 河村事務官ノ電話、中口ノ帯京未着ナリ、発信月日調査セヨ

三一. 「マ」司令部ニ終戦連絡中央事務局ヨリ促督書提出。
古エ佐キ要求書提出。（飯台要求書）

三一、文書課長ヨリ電話、
中口側ノ要求未着ハ在支米軍ノ移動アリタルタメナラントノ由ナリ
更ニ要求スル由ナリ。

二一、文書課長ヨリ電話（北原）
重慶ヨリ「マ」司令部宛要求未着ノ由ヲ陳ベテ支那総軍宛
督促電報ヲ発シタリ。

二、文書課長ヨリ電話（安井）
中口側要求ノ内容及日時ヲ知ルハ困難ナリ、右ハ支那総
軍ノ行衛及在支米軍ノ「マ」司令部ノ経路不設ナル故ニテ
調査ハ困難ナリ。

五 佐田局長ヨリ電報（長官宛）一部（[redacted]ノ分ノ続キ）
中口ハ督促中ナルガ葛西参謀長ノ判断ニテハ米軍ノ移動ニ因ルモノ
中口ノ要求未着ト思ハル、更ニ督促進方努力ス
中口ヨリ「マ」司令部ニ直接スベキモ四人ニ運カニ飯台ニ通知スベシ

六 終戦連絡事務局宛覚書提出、
中口要求ノ未着理由 米軍ニテ積極的調査方依頼、
成田長官ハ連絡部副部長トシテ中口ノ認メタルモノ速カ
ニ許可アリタシ。

臺灣總督府東京出張所

七．須田局長ヨリ電報（長官宛）
1.連絡事項．台湾軍参謀長、南京在支派遣軍、中日合同総司令部、東京マ司令部
2.十月二十三日 支那参謀長ヨリ台湾軍参謀長宛 本件二一日決定セル中日側ヨリマ司令部ニ通知済．
3.渡キ、五日着電報．

八．「マ」司令部ハ中日ヨリ要求翻看飯台許可スルモ目下送還方法研究中ナリ

九．文書課長ヨリ電話（文教局長）
台湾ニテ接収セラレタル日航ノ飛行機ヲ福岡迄差向クヘキヲ以テ右場合ミトモテ「マ」司令部ニ折衝スルト共ニ期日ニツキ当方ニ連絡セラレタシ．

一〇．河村事務官ヨリ電話（斉藤）
出迎ヘ飛行機ハ福岡迄中日側ト諒解アリ、尚出発セシムルヲ要スルトキハ三日前迄ニ連絡アリタシ

一一．「マ」司令部ハ米軍ノ飛行機ハ出サヌコトニ決定セリ、中国機ニヨルカ船ニヨル外ナカルベシ、中日ヨリ飛行機ノ申出アルベシ．
一二．「マ」司令部、中日所ノ飛行機福岡未定ナリ．
一三．須田局長ヨリ電報（長官宛）
福岡迄ノ出迎飛行機ニツキテハ中日側ト完全ナル諒解ナサザルヲ以テ飯台許可ヲ要ナラハ準備セラレ度、矢ヲ諒解ヲ要スルハ便利ナリ

一四．文書課長（電話）（秘書課長経由）
1.飛行機 台湾方長官ヨリ左ノ通至急直接申込マレタシ
（中日機ヲ左ノ通リ運航スルコトニ付了承セラレタシ）
イ．機種 重爆撃九七一二、
ロ．標識 胴及翼ニ中日標識
ハ．日時 十一月十八日 台北発 九〇〇 福岡 一四〇〇
十一月十九日 福岡発 九〇〇 台北 一三〇〇

（日本標準規格 B.4） 東・東 1137

2. 右ノ変更個所アレバ折返シ返電乞フ

文書課長ヨリ電話(斉藤)

1. 孫長官ヨリ「マ」司令部ヘ直接申込ムコトハ出来ヌト

2. 台北福岡往復ニハガソリン一、五〇〇立ヲ要スルモ補給ノ途アリヤ(何レトカスル)

一五、文書課長ヨリ電話(石井)

1. 一八日発、一九日帰台ハ陸軍ノ準備ノ都合ニヨリ困難ナリ、準備出来次第通報ス

2. ガソリンハ上海経由トスルモ尚ニテ補給シ得ル故内地ニ於テ準備不要

3. 「マ」司令部ト貴方ノ交渉状況知ラセ乞フ
台北ニ連絡セラルル行動ハ「マ」司令部ノ指示ナリヤ

文書課長ヘ電話(逓信部長経由)

1. 昨日電ノ日程ハ「マ」司令部ノ指示ニアラズ、三日前ニ通知ヲ要ストノ貴方ノ言ニヨリ当方作製セルモノナリ

2. 日程決定ノ上ハ当方ニ通報スルト共ニ昨日電ノ如ク直接「マ」司令部ニ申入方努力乞フ

3. 日程ハ上海経由セズ、直接福岡ヘ来ルナラバ帰途用燃料ハ当方ニテ補給実現ニ努力ス、但シ準備ノ都合モ有之

4. 当方ノ交渉ハ日程決定迄停頓セザルヲ得ズ

文書課長ヨリ電話

二十日台北発、二十二日福岡発ニテ計画中、燃料補給ハ陸軍次官ニ打電セリ、貴方ニ於テ右飛行機ニ搭乗方許可ヲ得ラレタシ
当方ハ中日ノ飛行許可ヲ得タルノミ、搭乗ニツイテハ貴方ニテ「マ」司令部ノ許可ヲ取ラレタシ

一六．文書課長ノ電話

荒井経商ハ「マ」司令部ト中日政府トノ打合ノ時日短縮ノタメ、台北ヨリ直接「マ」司令部ニ申入レ方尽力セラ（鈴木一二十日出発、二十二日福岡発セテ中日ト支援中）

「マ」司令部ハ当方ニテ日時変更申入レル問題ヲ起ス故、日時ハ当方ヨリノ申入レニ合致セシムル様先方ノ計画ヲ変更セシメタシ

文書課長ヨリ電報

十八日台北発ハ軍並ニ各方面ニ連絡ノ都合上到底困難、早クモ二十日過ギトナル見込、上海経由ニヨリ燃料補給ハ不要ト判明。

「マ」司令部ヨリ内示（使用飛行場ニツキ）

十八日 台北―鹿屋―厚木

十九日 厚木―鹿屋―台北

文書課長電話ニ出発時刻ハ朝七時トシ九州方面経由ヲ要ス

[redacted]部ニ[redacted]変更申入（終戦連絡中央事務局[redacted]）

二十日 台北―鹿屋―厚木

二十一日 厚木―鹿屋―台北

終戦連絡事務局ヨリ「マ」司令部ヘ口頭申入レ。

一七．

須田局長発電話（長官宛）受入接待ノ官

「マ」司令部ヨリ本日通報アリタル要旨ハ護衛ノ都合ニ依ルベキモ、予定燃料ハ当方ニテ取付ケルニ付右ニヨリ出発ノコトニ決定アリタシ、航空局ニテモ右ノ旨ナリト。

二十日 台北―鹿屋―厚木

二十一日 厚木―鹿屋―厚木

臺灣總督府東京出張所

一八．

文書課長ヨリ[redacted]電話．

当方ハ二〇日．二一日ノ日程ニテ軍ヨリ支給中ナリ

終戦連絡中央事務局ヨリ「マ」司令部ヘ日程変更申入レ

二〇日 台北．

二一日 厚木．

島田ヨリ神奈川県下ノ旅館支給

「マ」司令部．

正式許可指令ハ追テ出スベキモ直チニ準備スベシト内示

陸軍省ト連絡．（大野中佐）

台北ニ通報シアルニ付同進ヒナク出発シ来ル．

一九．

「マ」司令部

指由、警備、乗員ノ宿舎及食事ノ準備手配ナリタリト

二〇日及二一日ノ飛行場出入許可証発行シ置ケル

陸軍省ト連絡．

二〇日台北発同進ヒナシ（大野中佐）

二〇．

文書課長電話．（部ノ両村マ帰リ居．午前カラ午後出発ナラ確望ス）

中口ノ許可マナキノ出発不能．

中口ノ許可ア得ズ陸軍省ヲ通ジマ司令部ニ申込ムベシト

延許シ動カレタシ

文書課長電話
中止ハ今般全面的ニ飛行禁止命令ヲ出シタル故本件中止機ニヨルコトモ不可能トナレリ
例外的許可モ不可能ナリ

二一、「マ」司令部
上海米軍ヨリノ電報ニヨレバ台湾行故長官ハ一行四名ノ便乗ヲ望マストノコトナル故本件問題トナラズト

二二、文書課長宛電報（電話不通）
「マ」司令部ニテハ上海米軍ヨリノ電報ナリトテ台湾行故長官ハ長官一行四名ノ便乗ヲ望マサル故本件問題トナラストト。不可解ナル事柄ナリ右ノ誤リナルコトヲ「マ」司令部ニ通ズル方途ヲ貴方ヨリ講セラレタシ

二三、文書課長ヘ電話。
右ニ全ジ

二四、外事部長ヘ電話（部長ヨリ）
右ニ全ジ

文書課長ヨリ電報
皇居ヨリノ許可未着ノタメ一〇日出発不可能、接收方ノ今日

手続ノ進行ニ困難ヲ伴フモノノ如シ。更ニ今回ハ厚木ニ変更アリタルタメ十七日中ロ空軍ヨリ計画変更再照会シツツアル故尚数日ヲ要ス。

仮ニ二十五日頃許可アリタル場合モ飛行ノ三日前ニ陸軍省ヲ経テ米ロ側ニ通知スルヲ以テ出発ハ二十八日頃トナル。

二十日、二十一日ノ予定通リ実行セザレバ許可ノ取消トナルモノトスレバ当方ノ飛行計画確定ノ上再度交渉総領ヲ煩ハス外ナシ。以上澁谷航空参謀ト協議ノ上。

文書課長ヨリ電報

中ロ最近ノ情勢ニ基キ昨二十日中ロ空軍ニ於テハ一般ニ飛行禁止命令発セラレ右許可モ当分許可ノ見込ナキ旨二十日、在台ノ中ロ空軍司令部ヨリ[illegible]空軍ヘ通知アリタリ

斯ク情勢ノ変化ヲ待ツ外ナシトスルモ或ハ貴地ニ於テ司令部ヨリ飛行機其他ノ斡旋ヲ願フ余地アラバ考究願上グ

臺灣總督府東京出張所

GENERAL HEADQUARTERS
SUPREME COMMANDER FOR THE ALLIED POWERS

1 November 1945

AG 370.5 (1 Nov. 45) GC

MEMORANDUM FOR: IMPERIAL JAPANESE GOVERNMENT.

THROUGH : Central Liaison Office, Tokyo.

SUBJECT : Repatriation of Non-Japanese from Japan.

1. a. The following plan governing the repatriation of non-Japanese nationals to their respective homelands will be placed in effect without delay.

b. The entire plan revolves around the use of Reception Centers and the flow of non-Japanese to be repatriated through these centers in the numbers that can be accommodated by the available shipping.

c. Memo to the Japanese Government, file AG 370 (15 Oct 45)GC dated 15 October 1945, subject: "Reception Centers in Japan for Processing Repatriates" and Memo to the Japanese Government, file AG 091 (16 Oct 45)GC, dated 16 October 1945, subject: "Policies Governing Repatriation of Japanese Nationals in Conquered Territory" are included in and become part of this plan.

2. The following Reception Centers will be used to process non-Japanese repatriates leaving Japan:

Senzaki. Primarily to process departing Koreans.

Hakata Primarily to process departing Koreans and Chinese formerly domiciled in North China.

Kagoshima

Kagoshima	Primarily to process departing Chinese formerly domiciled in Central China.
Kure	Primarily to process departing Koreans and Chinese formerly domiciled in North and Central China. Will be used to lessen the load of Senzaki, Hakata and Kagoshima.

3. The Japanese Ministry of Welfare will:

a. Make the necessary arrangements with the other Ministries concerned to insure that each of the Reception Centers mentioned in paragraph 2 above is kept filled with outgoing repatriates to the capacities shown in paragraph 3a of Memo to the Japanese Government, file AG 370.5 (15 Oct 45) GC, dated 15 October 1945, subject: "Reception Centers in Japan for Processing Repatriates".

b. Scrutinize carefully the shipping schedules furnished so that Reception Centers do not become congested.

4. The Japanese Ministry of Welfare will be guided by the following in preparing plans for the flow of repatriates to Reception Centers.

a. Koreans will be cleared from areas in the following order:

(1) Moji - Shimonoseki - Hakata Area.

(2) Osaka - Kobe Area.

(3) Remainder of Japan.

b. Within the areas mentioned in paragraph 4a, above, priority for Koreans will be given, in order, to:

to:

to: ~~demobilized soldiers, former forced laborers~~ and other Koreans.

c. Controls will be established to fix Koreans desiring to return to Korea in their present abodes until they are directed to move under the provisions of this plan.

d. A special priority will be established for the repatriation of Chinese and Korean coal miners residing in Northern Honshu. They will be evacuated at a rate of 1000 per day beginning not later than 14 November 1945.

e. Chinese formerly domiciled in North China will be returned to Northern Chinese ports at a rate of not to exceed 10,000 per month. Those domiciled in Central China will be returned to Shanghai at a rate not to exceed 2,000 per month.

f. Empty spaces on vessels bound for northern Chinese ports will be filled with Koreans who will be offloaded in Korea.

g. Plans for the return of those individuals formerly domiciled in Formosa, the Ryukyus and South China will be deferred until further notice.

5. The Japanese Government will be furnished shipping schedules governing the movement of:

a. Japanese merchant and naval vessels in the same manner as at present.

b. United States Landing Ships, Tank, as they are established, through the same channels. Their schedules will indicate which LST's may be outloaded with Koreans, Chinese destined for Northern and Central China.

6. The Japanese Ministry of Welfare will furnish all non-Japanese repatriates outloaded on LST's with one day's supply of pre-cooked rice and sufficient dry rice for the voyage plus one day.

7. The Japanese Government, in order to prevent congestion at Reception Centers and unnecessary suffering by repatriates, will adopt among others the following measures:

a. Inform all concerned of the essential

parts

parts of this plan through the media of the press and radio.

b. Through the same media urge the prospective repatriates to remain in their former places of abode until their movement to Reception Centers can be planned and calling their attention to the sufferings that will result from overcrowding of centers and the consequent delays in carrying out the program.

8. Japanese Ministry of Welfare will modify their plan, contained in C.L.O. No. 349, subject: "Repatriation of Koreans", dated 23 October 1945 to conform with Provisions of this memorandum.

9. A report will be submitted showing the number of repatriates leaving Japan each week. The week will be from Monday through Sunday inclusive and will reach this headquarters not later than the following Wednesday. The following information will be included: name of vessel, time of departure, port of departure, destination, number of passengers by nationality, and total departed to date by nationality.

FOR THE SUPREME COMMANDER:

Received: 5 Nov. 4:15 p.m.

Shukan: 5 Bu- 3 Ka

H. W. Allen,
Colonel, A.G.D.,
Asst. Adjutant General.

聯合國總司令部發在東京中央連絡事務局經由
日本帝國政府宛覺書AG 370.5(1 Nov.45)GC　假譯

一九四五年十一月一日（十一月五日接受）

非日本人ノ日本ヨリノ歸還ニ關スル件

一、イ、非日本人ノ各自本國歸還ニ對シ左ノ計畫ヲ遲滯ナク實施スヘシ

ロ、本計畫ハ受入事務所ノ使用竝ニ同事務所ヲ通シ使用船舶ノ收容シ得ル人數ニ於テ歸還スル非日本人ノ移動ニ關スルモノトス

ハ、本計畫ハ一九四五年十月十五日附日本政府宛覺書AG 370.05(15 Oct.45)GC「歸還者ノ取扱ノ爲ノ在日本受入事務所ニ關スル件」及一九四五年十月十六日附覺書AG 091(16Oct.45)GC「占領地ニ在ル日本人ノ歸還ニ關スル方針ニ關スル件」ヲ含ミ之ヲ其ノ一部トスルモノトス

二、左ノ受入事務所ハ日本ヲ離ルル非日本人歸國者ヲ取扱フ爲使用セラルヘシ

仙崎　朝鮮人ノ出發處理ヲ主トス

博多　朝鮮人及北支居住支那人ノ出發處理ヲ主トス

鹿兒島　中支居住支那人ノ出發處理ヲ主トス

呉　朝鮮人並ニ北支及中支居住支那人ノ出發處理ヲ主トス

同港ハ仙崎、博多及鹿兒島ノ負擔ヲ輕減スル爲使用セラルヘシ

三、日本國厚生省ハ

イ、他ノ關係官廳ト必要ナル折衝ヲナシ上掲第二項ノ各受入事務所ヲシテ一九四五年十月十五日附日本政府宛覺書AG 370.5(15 Oct. 45)GC「歸國者ノ取扱ノ爲ノ在日本受入事務所ニ關スル件」第三項(イ)ニ規定セラレタル能力ニ應シ歸還者ヲ充滿セシムヘク保證スヘシ

ロ、受入事務所カ超滿員トナラサル樣提示セラルル船舶計畫ヲ詳細ニ研究スヘシ

日本國厚生省ハ歸國者ノ受入事務所ヘノ移動計畫ヲ立案スルニ際シテハ左ニ依ルヘシ

イ、朝鮮人ハ左ノ順ニ依リ諸地區ヨリ立退カシメラルヘシ

(一)門司－下關－博多地區

(二)大阪－神戸地區

(三)其ノ他ノ日本地區

ロ、上掲第四項(イ)ノ地區内ニ於テハ左ノ順ニ依ルヘシ

復員軍人、元強制勞働者、他ノ朝鮮人

ハ、歸國ヲ望ム朝鮮人ニ對シテハ本計畫ニ基キ移動ヲ指示セラルル迄現住所ニ居住セシムヘク統制スヘシ

ニ、北本州ニ在ル支那人及朝鮮人炭坑勞務者ノ歸還ニハ特ニ優先順位ヲ認ムヘシ彼等ハ遲クトモ一九四五年十一月十四日ヨリ開始シテ一日千人ノ割合ヲ以テ送還セラルヘシ

ホ、北支居住支那人ハ一月一萬人ヲ超ヘサル割合ニ於テ之ヲ北支

諸港ニ送還スヘシ中支居住者ハ一月二千人ヲ超ヘサル割合ニ於テ之ヲ上海ニ送還スヘシ

ヘ、北支向船舶ニ余剰アルトキハ朝鮮ニ於テ離船スヘキ朝鮮人ニ充テラルヘシ

ト、臺灣、流球及南支居住者ノ歸還計畫ハ追ツテ通告アルマテ延期セラルヘシ

五、日本政府ニ對シテ[redacted]提示セラルベキ船舶計畫ハ左ノ經路ニ依ル
イ、日本商船及海軍艦船ニ關シテハ現在通リノ方法ニ依ル
ロ、合衆國上陸用舟艇「タンク」（LST）ニ關シテハ決定アルニ從ヒ右ト同樣ノ經路ニ依ル該計畫ハ如何ナルLSTカ朝鮮人、北支向ケ支那人及中支向ケ支那人ヲ乘船セシムルカヲ指示スベシ
六、日本厚生省ハLSTニ乘船スル一切ノ非日本人歸國者ニ對シ一日分ノ炊キタル飯及航海日數ニ「プラス」一日分ノ米ヲ供與スベシ
七、日本政府ハ受入事務所ノ混雜及歸還者ノ蒙ル不必要ナル苦痛ヲ避クル爲就中左ノ處置ヲ採ルベシ
イ、本計畫ノ必要ナル部分ヲ新聞及「ラヂオ」ヲ通ジ關係者ニ周知セシムベシ
ロ、新聞及「ラジオ」ヲ通ジ歸還セントスル者ニ對シ受入事務所ヘノ移動ガ計畫セラレ得ルマデ其ノ原住所ニ止マル樣勸告

シ且受入事務所ノ混雑ヨリ生ズル苦痛及其ノ結果タル計畫實施ノ遲延ニ付注意ヲ喚起スベシ

八、日本厚生省ハ一九四五年十月二十三日附覺書（CLO 349　）「朝鮮人ノ歸還ニ關スル件」ニ掲ゲラレタル計畫ヲ本覺書ノ規定ニ從ヒ改正スベシ

九、毎週日本ヲ離ルル歸國者ノ數ヲ示シタル報告ヲ提出スベシ週ハ月曜ヨリ始マリ日曜ヲ含ムモノトシ次ノ水曜以前ニ本司令部ニ達スベキモノトス報告ハ左ノ事項ヲ含ムベシ

船舶ノ名稱、出發ノ時刻、出發港、目的地、國籍別乘客數、其ノ時迄ノ國籍別ノ全出發者

最高司令官ニ代リ

副官附陸軍大佐

エイチ、ダブリュ、アレーン

GENERAL HEADQUARTERS
SUPREME COMMANDER FOR THE ALLIED POWERS

13 November 1945

AG 370.05 (13 Nov 45) GC

MEMORANDUM FOR: IMPERIAL JAPANESE GOVERNMENT

THROUGH : Central Liaison Office, Tokyo.

SUBJECT : Formosans Shipped to Japan from the Philippine Islands.

1. A total of seven hundred seventy (7700 Formosans have been shipped from the Philippine Islands to Japan on the following vessels which were scheduled to depart from Manila and to arrive at Kagoshima on the dates shown below:

VESSEL	FORMOSANS ABOARD	ARRIVAL DATE
Etorofu	196	9 Nov 45
Hagi	189	12 Nov 45
Tsuta	191	12 Nov 45
Kiri	194	13 Nov 45

2. It is desired that necessary arrangements be made to care for this personnel until such time as they can be returned to Formosa. At present no Formosans can be returned to their homelands.

3. No additional Formosans will be shipped from the Philippine Islands to Japan.

FOR THE SUPREME COMMANDER:

H. W. ALLEN,
Colonel, A.G.D.,
Asst. Adjutant General.

三日附 指令

未定

台湾人輸送艦船運航表

月日	艦船名	発地	輸送人員	台湾着 月日	台湾着 港名	備考
一二・一七	長運丸	浦賀	一、五〇〇	一二、二三	基隆	高座工廠工員七〇〇〇人ノ一部
一七	夏月	鹿児島	六〇〇	二〇	〃	(針尾)佐世保鎮守府収容中ノ復員・工員
一・二〇	海防四四号	〃	二五〇	二三	〃	
	伊呂丸	浦賀				
二九	長運丸	呉		七	〃	
一一	夏月	鹿児島				
二	海防四四号					

大日本帝國政府

(ロ)目下修理中ノ引揚使用許可（中日予定）

1、大鯨 七〇〇〇屯 十二月二十日 修理完成ノ予定（三五〇〇名）

2、第三大和 四〇〇〇屯 一月二十日 〃 （二〇〇〇名）

（折上リ國定規格B5 一八二×二五七粍）東東一三七

大日本帝國政府

在日臺灣人分布表（厚生省調）

府県	人数	府県	人数	府県	人数	府県	人数
東京	八〇七二	奈良	三一	秋田	二〇	高知	二五
北海道	四〇	三重	四九	福井	二三	福岡	三四九
京都	五七六	愛知	二四一	石川	二〇	大分	五八
大阪	二〇〇六	静岡	八五	富山	一三	佐賀	二一
神奈川	一八四六	山梨	一四	鳥取	九	熊本	一五一
兵庫	一二五五	滋賀	一六	島根	三八	宮崎	五二
長崎	一一六	岐阜	九	岡山	一一一	鹿児島	一一七
新潟	五四	長野	一二	広島	一一四	沖縄	一一八一
埼玉	七一	宮城	八八	山口	一五二	計	二〇、三八七
群馬	四五	福島	二〇	和歌山	一八	他ニ海軍工廠	
千葉	九二二	岩手	一四六	徳島	一四	東京地区ニ	
茨城	三七	青森	一八	香川	五八	七、〇〇〇名アリ	
栃木	二六	山形	四四	愛媛	一四		

内務省

台湾人調査　21.3.18現在

	登録者総数	帰還希望者数	残留希望者数	21.3.18現在全員
北海道	62	38	24	
青森	58	47	11	
岩手	70	61	9	
宮城	66	46	20	
秋田	75	61	4	
山形	110	78	32	
福島	43	33	10	
茨城	67	44	23	
栃木	43	22	21	
群馬	111	72	39	
埼玉	187	131	56	
千葉	128	113	15	
東京	4,944	4,050	894	
神奈川	712	568	144	
新潟	67	54	13	
富山	12	12	0	
石川	15	12	3	
福井	26	10	16	
山梨	55	45	10	
長野	99	78	21	
岐阜	53	41	12	
静岡	85	58	27	
愛知	205	177	28	
三重	73	65	8	
滋賀	8	6	2	
京都	577	426	151	
大阪	2,967	2,409	558	
兵庫	3,602	2,938	664	
奈良	49	22	27	

和歌山	113	88	25
鳥取	8	6	2
島根	57	48	9
岡山	99	96	3
広島	130	102	28
山口	84	70	14
徳島	32	18	14
香川	44	33	11
愛媛	35	26	9
高知	8	6	2
福岡	287	226	61
佐賀	14	11	3
長崎	131	77	54
熊本	52	38	14
大分	58	56	2
宮崎	23	16	7
鹿児島	28	19	9
司法省所管特殊地域	134	131	3
計	15,906	12,784	3,122
(鮮人	647,006	514,060	132,946

外務省

臺灣配船豫定表　（二、一、二六現在）

甲、海軍艦艇關係

一、千歳丸　一三〇〇名　鹿兒島着一、二九（佐世保發一、二二　基隆着一、二五）
二、筑紫丸　二五〇〇名　同　二、七（同　二、一　同　二、四）
三、花月　六〇〇名　同　一、二八（吳　發一、二〇　同　一、二四）
四、羽節　四〇〇名　同　一、二八（基隆發一、二六）
五、CD 44　二五〇名　同　一、三〇（石垣島着一、二六　同　一、三〇）
六、CD 79　同　同　二、五（鹿兒島發一、三一　同　二、二）
七、CD 8　同　同　一、三〇　（基隆着一、二七）
八、CD 71　同　同　二、六（鹿兒島發二、一　基隆着二、三）
九、CD 60　同　同　二、一（同　一、二七　同　一、二九）
一〇、董　一月三十日鹿兒島發ノ豫定
一一、樫　一月卅一日　同

以上六、七、八、九、一〇、一一、ハ鹿兒島發ノ三日間前ニ吳ヲ出港セルモノナリ

臺灣總督府東京出張所

一二　槇　二五〇名　鹿児島發一二四　鹿児島着一二九

一三　榧　同　同　一二六　同　一三一

其他五隻増加ノ見込（以上第二復員省艦船運航課）

一四　伊王　三〇〇名　基　發一二八　鹿児島着一三一

乙、船舶運営會關係

一、永録丸　六九二三屯　一月十九日硫黄消毒　二十日ヨリ二十二日東京ニテ食糧積込　一月二十七日室蘭入港　石炭積取二月二日室蘭出帆　二月五日浦賀入港　引揚民乗船　二月七日浦賀出帆　二月十四日基隆入港　二月十六日基隆出帆　二月二十一日鹿児島入港

二、米山丸　六八六八屯　一月二十日出（川崎）後横濱（バフスト）東京食糧積込－浦賀－~~川~~崎戸－基隆－鹿児島（日取未定）

三、大瑞丸　六八七二屯　一月二十一日舞鶴出帆　一月二十三日釜山入港　朝

鮮人下船　一月二十四日釜山出帆　一月二十五日佐世保入港　一月二十五日佐世保出帆　一月二十六日三池入港　一月三十日三池出帆　一月三十一日鹿兒島入港　鮮人乘船　二月一日鹿兒島出帆　二月五日基隆入港　二月七日基隆出帆　二月十二日鹿兒島入港

基隆向豫定ノ處三池出發ノ際ダーヒンギヤフスト小積執行不能　一月二十九日大江山丸ニテ長崎ニ曳行豫定、代船考慮中

四　恩山丸　六八九一七

備考　四使何レモ往航邦人二〇〇〇名
復航復員軍人二〇〇〇名乘船ス

臺灣配船豫定表　（三、一、二八現在）

甲、海軍艦艇關係

一、千歳丸		一、三〇〇名	鹿兒島着一、二九	（佐世保發一、二二　基隆着一、二五）
二、筑紫丸		二、五〇〇名	同　二、七	（同　二、一　同　二、四）
三、花月		六〇〇名	同　一、二八	（呉　發一、二〇　同　一、二四）
四、羽節		四〇〇名	同　一、二八	（基隆發一、二六）
五、c.D	44	二五〇名	同　一、三〇	（石垣島着一、二六　同　一、三〇）
六、c.D	79	同	同　二、五	（鹿兒島發一、三一　同　二、二）
七、c.D	8	同	同　一、三〇	（基隆着一、二七）
八、c.D	71	同	同　二、六	（鹿兒島發二、一　基隆着二、三）
九、c.D	60	同	同　二、一	（同　一、二七　同　一、二九）
一〇、菫		一月三十日鹿兒島發ノ豫定		
一一、樫		一月廿一日　同		

以上六、七、八、九、一〇、一一、ハ鹿兒島發ノ三日間前ニ呉ヲ出港セルモノナリ

臺灣總督府東京出張所

一二　槇　　二五〇名　鹿兒島發一、二四　鹿兒島着一、二九

一三　榧　　同　　同　一、二六　同　一、三一

其他五隻増加ノ見込（以上第二復員省艦船運航課）

一四　伊王　　三〇〇名　基隆發一、二八　鹿兒島着一、三一

乙、船舶運營會關係

一　永祿丸　六九二三屯　マッカーサー司令部ノ命令ニ依リ一月二十九日浦賀出帆ニ變更　三池ニテバンカーノ上基隆ハ

二　米山丸　六八六八屯　同　　同

三　大瑞丸　六八七二屯　廈門航路ニ變更

四　神祐丸　六八二〇屯　鹿兒島二月二日出帆豫定（大瑞丸代船）

五　惠山丸　六八九一屯　基隆向豫定ノ處三池出發ノ際ダーギンギャフスト小損航行不能　一月二十九日大江山丸ニテ長崎ニ

現行豫定、代船考慮中

備考　四隻何レモ往航臺灣人三〇〇〇名、復航復員軍人三〇〇〇名乘船ス

（日本標準規格　B.4）

台湾ヨリノ引揚状況其ノ他調査（一月三十一日現在）

第二復員省ニ於テ調査（清川氏調査）

一、終戦時ニ於ケル在台軍人（軍属及一般邦人

1. 陸軍関係 二〇〇、〇〇〇
2. 海軍関係 三七、三二〇

推定ナリ（南方ヨリ入込ミシモノヲ含ム）、終戦時 三七九七六

3. 一般邦人（官吏ヲ含ム） 五〇〇、〇〇〇

二、引揚者数

1. 陸軍関係 一四三、一五五（昭和二十年十二月九七六、一月一三、三三九）
2. 海軍関係 一、五二〇（昭和二十年十二月三九二、一月一一二八）

三、残留者数

1. 陸軍関係 一四七、二〇〇
2. 海軍関係 三五、八〇〇
3. 一般邦人 五〇〇、〇〇〇

四、其ノ他参考事項

1、將来ニ対スル見込

現在ノ状況ニテ進行セバ少ク共本年末迄ニ完了困難ナルベク海軍参謀長ヨリノ報告ニ依レバ彼地ノ食糧事情ハ漸次逼迫シ現在ノ軍保有量ハ二月一杯迄ニシテ米穀、雑穀共ニ入手困難ナル事情ニアラ

復員當局ハ目下一日約九〇〇〇名（基隆ヨリ五、〇〇〇名、高雄ヨリ四、〇〇〇名）ノ引揚計畫ヲ以テマツクアーサー司令部及重慶政府ニ交渉セラレツツアルヲ以テ之ガ実現セバ相當進捗スルモノト予想セラルルノ由

尚最近ハ軍人軍属ノミヲ引揚ゲシメタルガ右計畫実現ノ暁ハ一般邦人ヲモ引揚セシムベシト

2、現在運航中ノ引揚艦船

(1) 米艦

ハルリー・キルビー（駆逐） 収容力 二〇〇〇

ヘレナ・モゼスカ（〃） 〃 二〇〇〇

(2) 海軍艦船

宗谷丸	砕氷力	一〇〇〇
安達丸	〃	一五〇〇
千歳丸	〃	一五〇〇
松月	〃	六〇〇
花月	〃	六〇〇
白根（臨時）	〃	三〇〇
樫（〃）	〃	三〇〇
椎（〃）	〃	三〇〇
海防艦四四號	〃	二五〇
海防艦七一号	〃	二五〇
海防艦六〇号	〃	二五〇
輸送艦二〇号	〃	六五〇
海防艦羽節	〃	四〇〇

(ハ) 民船

日昌丸　収容力　三、〇〇〇
永録丸　〃　三、〇〇〇
祥祐丸　〃　三、〇〇〇

大日本帝國政府

（折上り國定規格B5一八二×二五七粍）（東京一四九）

田中国一氏

台中州下日人還送情況（三・四・五）

一、還送人員　総人員　四一・五九一名

内訳　一般　三一・〇八二名

眷族　一〇・五〇九名

一、残留人員

1、留徴用者（台中市不明）　一・五八二名

四七〇戸

（台中市ヨリカフレバ概ネ六百戸　二・〇〇〇名程）

2、一般残留者（台中市ニ限リ）

六一戸　一五五名

（内　五戸　一九名　八事故ニ依ル残留）

一、還送機構

参謀部 ┬ 第一課（一般）
　　　 └ 第二課（眷族）

臺灣總督府東京出張所

師團長 ―― 第三課（一般日僑）
　　　　―― 日僑互助会
　　　　―― 陸軍病院
　　　　―― 各勤務隊

飛行八師団ニ於テ計画実施ニ当リ日僑互助会長ト
協力一体トナリテ実施ス

一、還送実施情況

二一年三月二日ヨリ十一日迄 ―― 眷族輸送完了

二一年三月十二日ヨリ三十一日迄 ―― 一般日僑輸送完了

二一年四月一日ヨリ六日迄 ―― 徴用解除者、事故者
互助会並師団司令部関
係者還送完了

一、還送並救助ノ為ノ互助会ノ収支ノ情況

収入合計　一、四五八、二七〇円〇九　寄附金其他

定着地ニ於ケル海外引揚者援護要綱（昭二一、四、二五 次官会議決定）

海外同胞ニシテ内地ニ引揚ゲタル者ノ生活状況ニ鑑ミ左記要領ニ依リ緊急救護ノ方途ヲ講シ以テ之等引揚者ヲシテ速カニ其ノ生活再建ニ邁進セシメントス

一、援護対象

海外引揚者ハ国内ニ於ケル各種要援護者トハ其ノ援護ヲ要スル事情ヲ異ニスルヲ以テ内地上陸后概ネ一ケ年間ハ本要綱ニ依ル特別ノ援護ヲナスモノトス

二、援護ノ機関

(一) 援護ハ道府県、地方事務所、支庁、市区町村ヲシテ之ヲ行ハシメ 方面委員 各種援護団体ヲシテ之ニ協力セシムベキモノトス

(二) 都道府県ニ都道府県引揚者援護連絡本部ヲ設ケ関係各機関ノ援護ノ事務連絡調整ヲ図ルト共ニ都道府県、地方事務所、支庁、市区町村其ノ他ニ引揚者相談所ヲ設置シ生活ノ相談指導等ニ当ラシムルモノトス

(三) 引揚者ノ創意ニ基ク互助的各種援護団体ニ対シテハ中央及地方ニ於テ連絡調整ノ方途ヲ講ジ政府ノ施策ト相呼応シテ引揚者ノ自主的活動ヲ促スモノトス

三、援護ノ方法

(一) 既存建物ノ利用ニ依ル集団収容所的施設ヲ設営シ又ハ貸家、新設住宅等ノ優先的斡旋ヲナスモノトス

(二) 引揚民ノ既往ニ於ケル技能経験ヲ活用シ其ノ生活再建ヲ容易ナラシムル為商工業ノ経営等ニ対シ積極的援助ヲ与フルモノトス

(三) 就農ヲ適当トスル者ニ対シテハ各都道府県ノ入植計画ニ於テ特別ノ考慮ヲ為シ特ニ農林業従事者ニ付テハ優先入植セシムルト共ニ引揚者ノ為ニスル集団[illegible]定區ノ設定開拓建設隊及開拓挺身隊ヘノ便宜加入等ヲ図ルモノトス

引揚者ノ北海道入植ニ付テハ特ニ農林省、内務省間ノ連絡調整ヲ図ルモノトス

引揚者ノ就農ヲ円滑ニ促進スル為関係各省及中央関係団体ヲ以テ構成スル海外引揚者就農対策委員会ヲ農林省内ニ設置スルモノトス

(四) 漁業ニ就カシムルヲ適当トスル者ニ対シテハ就業、所要物資ノ配給等ノ斡旋ニ努ムルモノトス

(五) 一般就職斡旋ニ付テハ勤労署ニ於テ優先的ニ取扱ヲ為スト共ニ授産施設其ノ他ノ職業補導施設ノ利用並ニ副業ノ奨励等

外務省

（六）引揚者ヲシテ生業ニ復セシムル為既存ノ金融機関ヲ活用シ生業資金融通ノ方途ヲ講スルモノトス

（七）家財ヲ購入シ能ハサル者ニ対シテハ家財ノ配給ヲ為スト共ニ生活必需物資ノ優先的配給ヲ為スモノトス

（八）引揚者中ノ子弟ノ各種学校ヘノ就学、転学ノ優先的取扱ヲ為スト共ニ特ニ学童ニ付テハ学用品ノ購入困難ナル者ニ対シ無償配給ノ方途ヲ構スルモノトス

（九）引揚者ニ対シ教化、慰問ノ方途ヲ講スルト共ニ一般国民ニ対シ引揚者ニ対スル理解協力ヲ求ムル様措置スルモノトス

（十）引揚者ニ対スル医療公課ノ減免、生活困難者ニ対スル生活援護、鰥寡孤独者ニ対スル援護等ニ関シテハ既往ノ援護ノ強化徹底ノ方途ヲ講スルモノトス

四、援護ノ経費

援護ニ要スル経費ハ既定経費ヲ本要綱ノ趣旨ニ即シ運用スルノ他尚必要ナル経費ハ此ノ際特ニ別途考慮スルモノトス。

外務省